新潮文庫

レパントの海戦

塩野七生著

新潮社版

4677

レパントの海戦

ローマ法王がパウルス六世の時代であったから、十年ほど前のことであったと思う。イタリア国営放送のテレビ・ニュースを見ていて、思わず苦笑してしまった。こんなニュースを報じていたからだ。

――ローマ法王パウルス六世は、他の宗教を奉ずる民族とも信教を越えた友好関係を確立する意思表示の一つとして、一五七一年のレパントの海戦でキリスト教艦隊が獲得したイスラムの軍旗をトルコに返還することに決め、今日それが法王より、イタリア駐在トルコ大使に手渡された――

軍旗を敵方に奪われるのは、古今東西にわたって大変な屈辱であるのはわかっている。だが、一五七一年といえば、四百年以上も昔の出来事である。

トルコのイスタンブルにある陸軍博物館の内部は、キリスト教国から奪った戦利品であふれているし、博物館の前の通路には、これも戦利品の、かつてのヴェネツィア共和国軍の大砲が列をなしている。

だが、これはなにも、現代のトルコ共和国が、三百年や四百年昔に奪取したものを、現代でもなお誇らし気に展示したいからではない。もうこれほどの時を経れば、これらはもはや戦利品ではなく、歴史上の史料になるからである。

レパントの海戦当時の軍旗を返してもらったトルコは、その処置に困ったのではないかと思う。いまだにトルコの学校の教科書には、レパントでの敗戦の記述はないし、敵方に奪われていた軍旗となれば敗戦のなによりの証拠なのだから、堂々と展示する気にもなれないであろう。かといって、親切にも返してくれた品だから、焼き捨てるわけにもいかないであろう。この「やっかいもの」は、どこかの史料庫の奥にでもしまわれてしまったにちがいない。なぜなら、このニュースの後にトルコに行ってずいぶん探したのだが、トプカピ宮殿でも、陸軍にかぎらずかつてのトルコ帝国の戦勝の記念品ならばなんでもある陸軍博物館でも、また永久閉館の感じの海軍博物館でも、ついに探し出すことができなかったからである。

進歩派を自称する理想主義者は、ときにこういうことをやってくれるのだ。おかげで、あの海戦のためにわざわざ聖地メッカから取り寄せたといわれる、白の絹地の周辺にコーランの一句を金文字で縫いとりした、イスラム艦隊の総司令官アリ・パシャ乗船の旗艦の帆柱高くかかげられていた軍旗を、われわれは二度と眼《め》にする機会を失ったことになる。

四百年も過ぎた現代、たとえその軍旗をヴァティカン博物館で眼にしたとて、イスラム教徒に対するキリスト教徒の優位に想《おも》いを馳《は》せる者は、いったい何人いるであろう。気分を害するイスラム教徒だって、心配するほどいるとは思われない。レパントの海戦は、歴史上の一事件である。それがキリスト教徒とイスラムの間で闘われたことにいくぶんかの特殊性があるとはいえ、他のすべての戦闘と同じく、男たちはいかに闘ったかの一事に、所詮《しょせん》は帰される戦いである。この視点に立つならば、キリスト教徒であろうとイスラムであろうとちがいは消えてなくなり、四百年の歳月も消えてなくなるように思われる。

レパントの海戦は、地中海が歴史の舞台でありつづけた長い時代の最後を飾った戦闘であり、同時に、ガレー船が主人公をつとめた最後の大海戦にもなったのであった。

私が史料閲覧室と呼んでいる私の書斎につづく細長い部屋の中央を占める机の上に、数ヵ月前から、一枚の図表が置かれている。縦一メートル、横七十センチのこれと、イギリス海軍作製の十万分の一のレパント海域の地図を並べると、長さ二メートル四十センチ、幅七十センチの中世僧院式の机も、さすがに満杯という感じになってしまう。イタリア海軍作製の、南イタリアからギリシア、エーゲ海域を一望できる百万分の一の地図は、この二枚の下から少しだけ顔を出すことで存在を主張している始末だ。

図表のほうは、レパントの海戦に参加したキリスト、イスラム両軍の四百隻《せき》を越える軍船すべての一覧表なのだが、各船の旗印や船名、所属国名、艦長名などが、ごく簡単な解説しかされていない船でも記されている。

この一覧表は、これだけが独立してつくられたのではない。半世紀ほど前にヴェネツィアで出版された研究書の附録であったものを、私が切りとって独立させてしまったのだ。数年前に古書店でこれを買い求めたのも、研究書の内容に関心があった以上に、附録が欲しかったからであった。

つくられた当時は良質の紙であったのだろう。だが五十年も経《た》つと、多くの人に読まれたからではなくても、紙は黄ばみ、折り目は文字が消えかかっていて、そのうえ四ヵ所にわたって破れてしまっている。消えかかっている文字を鉛筆でなぞり、破れた箇所を透明なセロテープで補強するのが、私のやった第一の仕事であった。

図表は、中央の線を境に、左にキリスト教国の軍船、右にイスラムの軍船と向い合う形で表記されている。

表の左半分を占めるキリスト教諸国の軍船は、図表の上から下に左翼、本隊、右翼ときて、その背後、表では左端になるところに後衛がひかえる。

右半分を占めるイスラムのほうは、同じく上から下に右翼、本隊、左翼とおりてくる。ここでも後衛は、表では右端に並ぶ。

一五七一年の十月七日の正午近く、パトラス湾を出たところで両軍が激突した直前の陣容そのままである。

一覧表の記述は、随意にいくつかを拾いあげてみたところでこんな具合だ。

表の最上段、キリスト教軍陣容の最左翼に位置するガレー軍船は、

(1) ヴェネツィア共和国海軍旗艦。ヴェネツィア海軍参謀長アゴスティーノ・バルバリーゴ、左翼の総指揮。艦長フェデリーコ・ナーニ。騎士たちの長シジスモンド・マラテスタ。歩兵指揮官シルヴィオ・ディ・ポルチア。

これと相対するイスラム軍の最右翼は、

(1) エジプトの旗艦。総指揮、アレキサンドリアの総督マホメッド・シャルーク。

この記述だけでは気づかない人が多いと思うが、このアレキサンドリアの総督とは別名シロッコ(南東の風)と呼ばれた男で、いやこの綽名《あだな》のほうが知られていた男で、本職は海賊の頭目であった。

ヴェネツィアとは異なり海運国ではなかったトルコは、ために海軍の伝統もなく、

トルコ海軍の実戦力は、イスラム教徒の海賊たちに頼るしかなかったのである。彼らを海賊の巣窟《そうくつ》としても有名であったアレキサンドリア、チュニス、アルジェなどの総督やパシャに任命し、その代償として、これらの海賊の頭目たちは、海戦のたびに招集されたのであった。

この方式は、しかし、トルコ帝国のスルタンにとっても好都合なやり方であっただけでなく、海賊の頭目たちにとっても、悪くないシステムであった。いかに強力でも日陰の身でしかない立場が、公的になることを意味したからである。

イスラム側の陣容の最左翼、図表では右半分の最下段の船も、次のように記述されている。

(246) アルジェリアの旗艦。イスラム海軍左翼の指揮官、アルジェの王ウルグ・アリの船。

ウルグ・アリも海賊の頭目だ。だが、この男だけは、他の海賊の頭目がアラブやギリシア出身であるのに反して、本名をジョヴァンニ・ガレーニという、南イタリア出身のイタリア人である。少年の頃《ころ》に海賊にさらわれ、ガレー船の奴隷《どれい》として数年を過ごしたこの男が、イスラム艦隊の左翼を指揮しているわけだった。

これでも明らかなように、海上の会戦では両翼を練達の海将でかためるのが習いだが、イスラム側はそれを、いずれも海賊の頭目にまかせたことになる。

キリスト教側も、熟練の海将でかためたことでは同じだった。最左翼を守るヴェネツィアのアゴスティーノ・バルバリーゴに対し、陣容の最右翼に位置し、海賊ウルグ・アリと相対するのは、海運国の伝統というならばヴェネツィアに一歩もゆずらないジェノヴァの海将がつとめる。

(167)ドーリア艦隊の旗艦。艦長ジャンアンドレア・ドーリア。キリスト教艦隊右翼の指揮官。ヴィンチェンツォ・カラーファ、オッタヴィオ・ゴンザーガ等、多くの貴公子や騎士たちが乗船。

これが、一覧表の左半分の最下段に記された船である。またもこの表だけではわからないが、ドーリアは、ジェノヴァ人ではあるがジェノヴァ共和国海軍の総司令官ではない。あくまでも、ドーリア艦隊の統率者で、彼の乗る船も、ドーリア艦隊の旗艦なのであった。ドーリア一族が、自前の船と乗員に戦闘員までひっくるめて傭《やと》われて闘う、海の傭兵《ようへい》隊長であったからだ。レパントの海戦当時のドーリアの傭い主は、スペイン王フェリペ二世である。

ちなみに、ジェノヴァ共和国軍の旗艦は、各国の旗艦が集中する本隊に属し、次のように記されている。

(84)　ジェノヴァ艦隊の旗艦。艦長エットレ・スピノーラ。アレッサンドロ・ファルネーゼ公乗船。

キリスト教側を追ってくればやはり、総司令官の艦はどのように記述されているかを知りたいと思うのは当然だろう。だが、この箇所は一覧表でも中央にあるだけに、紙の傷《いた》みが最もひどく、黄ばんでいたり弱っていたりするだけでなく、折り目になってしまったためにも破れがひどく、文字などほとんどかすれてしまっている。それでも字を拾っていくと、次のように読むことができる。

(86)　キリスト教艦隊旗艦。艦長ホアン・ヴァスケス・デ・コロナード。神聖同盟連合艦隊総司令官オーストリア公ドン・ホアン乗船。

スペイン貴族三十八名、フェリペ二世より特別に任命された、ドン・ホアン専用の聴聞僧フランシスコも加え、百人の随員乗船。その他、サルデーニャ島出身者より厳選された、四百の小銃兵。

この、便宜上(86)と番号のふられた大ガレー軍船の近くには、対トルコ同盟の主要参加国であるヴェネツィア共和国と法王庁の旗艦が、まるで左右からかためるように並ぶ。

(85)　ヴェネツィア共和国海軍旗艦。ヴェネツィア海軍総司令官セバスティアーノ・

ヴェニエル、総指揮。
(87) 法王庁海軍旗艦。艦長ガスパル・ブルーニ。神聖同盟連合艦隊副司令官マーカントニオ・コロンナ公乗船。法王ピオ五世の甥《おい》パオロ・ギスリエリほか、ローマの貴族多数乗船。スイス槍兵《そうへい》二十五人、百八十人の歩兵、フランスよりの志願騎士多数。
これらの船は一見して、大将たちの乗艦であるということは明らかだが、一般の軍船の場合、記述は次のような調子だ。
(123) 旗印、復活したキリスト。ヴェネツィア。艦長ベネデット・ソランツォ。
(33) 侯爵《こうしやく》夫人号。ドーリア艦隊所属。艦長フランチェスコ・サンタフェードラ。
このガレー船には、戦闘員として、若き日のセルバンテスも乗っていた。

この、一見必要不可欠なことしか記されていないかに見える図表を眺《なが》めるだけでも、参戦した男たち一人一人に、それぞれのドラマがあったであろうことは容易に想像できる。だが、それらを追うことは、完全なフィクションでないかぎりむずかしい。

アナトール・フランスによれば、歴史とは所詮、著名な事実の羅列《られつ》であるという。いかに事実でも、著名でなければ、歴史的とはされない危険を常にかかえているというわけだ。セルバンテスも、後年『ドン・キホーテ』を書かなければ、彼がレパントの海戦に参加したという事実も、著名にならないで終っていたにちがいない。庶民の立場から書くという態度も、ことそれが歴史となると、言うほど簡単なことではないのである。

数ヵ月間この図表を眺めて過ごした私のやった第二のことは、他の史料を読んでいくうちに判明した戦歿《せんぼっ》艦長や指揮官の名に、アンダーラインを引いたことだけであった。

ただ、引き終った後で、そのあまりの多さに愕然《がくぜん》とした。しかし、少なくともこの作業は、激戦の箇所を視覚的にとらえるには役立ったと思う。

海上での闘いが、離れた船の間で大砲を撃ち合うトラファルガー海戦式に変るまでには、いまだ二百年余りを待たねばならない。レパントの海戦当時は、海戦といっても闘う場所が海の上であったというだけで、接近した敵船に乗り移り、剣や槍《やり》や鉄砲や弓矢で渡り合う有様だけ見れば、陸上での戦闘と少しも変りはなかったのだ。指揮官や艦長の戦死者の分布図は、だから、激戦箇所の分布図にほぼ一致すると思ってまちがいはないのである。

戦争は血を流す政治で、政治は血を流さない戦争であると言ったのは、誰《だれ》であったろう。毛沢東であったかクラウゼヴィッツであったか、それともこの二人ともであったか。

もしもこの説が正しければ、私も、血を流す政治を描く前に、血を流さない戦争を描く必要があるように思われる。

レパントの海戦は、まずはじめに、

血を流さない戦争

があり、次いで、

血を流す政治

とつづき、最後に再び、

血を流さない戦争

になって終った、歴史上の一事件であった。おそらく、他の戦争がそうであったのと同じに。

ヴェネツィア——一五六九年・秋

アゴスティーノ・バルバリーゴは、その日はいつもより早く、元首官邸《パラッツォ・ドゥカーレ》を後にしていた。

二年におよんだキプロス島駐在の任務が終り、一週間前にヴェネツィアに帰任したのだが、元老院や十人委員会《コンシーリオ・ディ・ディエチ》での報告に忙しく、久かたぶりの帰国なのに自宅でゆっくりする暇さえない毎日であったのだ。

キプロスに対するトルコ帝国の出方を正確に把《は》握《あく》できないで悩んでいたヴェネツィア政府の高官たちにとって、バルバリーゴの帰任は格好の機会だった。あらかじめ定められた任期を終えての帰国なのだから、特別に召還して事情を聴く場合のように、トルコ側を刺激する心配がない。元老院の議員たちも十人委員会の委員も、慣例である帰任報告を終えたバルバリーゴをなおも離さず、質問責めにし、彼の意見を知りたがった。それは、連日、会議場に灯《あか》りがもちこまれて後もしばらくつづいたのである。ただ、バルバリーゴのほうも、帰国以来眼《め》にしたのが、大運河ぞいにある彼の屋敷から元首官邸までの道筋というここ連日の状態を、苦痛とも思っていなかった。ヴェネツィアの名門中の名門に生れたという事情はおいても、祖国に対する責任感は、彼にとって、ほとんど自らの体内を流れる血と同じくらいに自然なものであったからだ。そして、これまたヴェネツィアの名門の生れである彼の妻は、本国にいないときのほうが多い夫なしの日常を、立派にこなしていく型の女でもあった。夫の久かたぶりの帰国も、妻の社交の日程になんの変化ももたらさなかった。子供はいない。養子にした甥《おい》は、女王エリザベス一世の治めるイギリスに、大使の副官として駐在している。元首官邸から聖《サン》マルコの船着場と呼ばれる港に出ると、やわらかく暖かい西陽《にしび》が全身をつつんだ。眼前に広がる海も、波ひとつない。聖《サン》マルコの船着場には、勤務を終えて帰宅する政府の高官たちを待って、何艘《そう》もの自家用のゴンドラがもやっている。高齢の議員たちともなると、官邸から自分の屋敷の玄関先まで、ゴンドラで通うのを好む者が多かった。

やわらかい陽差しを浴びて、バルバリーゴもさすがに解放感にひたっていた。連日の質問責めから、ようやく解放されたのだ。だが、ほぼ確実に、さしたるときもおかずに次の任務がもたらされるにちがいなかった。二年もの間、ヴェネツィア共和国の最前線基地キプロスに海軍司令官として駐在していた彼のような男を、この時期のヴェネツィアが遊ばせておくはずはなかったのである。

バルバリーゴも、その辺の事情は充分に承知している。ただ、ほんの少しにしても許された日々を、静かに過ごそうとだけは決めていた。本土のヴィチェンツァにある田園に囲まれた別荘《ヴィラ》、少年時代のさまざまな思い出に満ちたあの家で過ごす考えは、彼を思わず微笑させるのだった。

だが、そこに向けて発《た》つ前に、済ませておかねばならないことがまだ一つ残っていた。それは二年近くもの間心にかかっていたことだったが、今ようやく、片づける時間の余裕をもてたのだ。それで、バルバリーゴは、帰宅するのだったら使うのとは反対側の出入口から、元首官邸を出たのだった。あらかじめ調べさせておいた報告によれば、彼が訪れようとしているかつての副官の遺族の家は、ヴェネツィアの貴族や大金持の屋敷が多く集まる大運河にそった区域からは遠く離れた、聖《サン》セヴェーロ教区にあるということだった。

西陽を背に受けながら、バルバリーゴはしっかりした足どりで橋を渡った。この橋を渡りきると、そこはもう聖《サン》マルコの船着場とは呼ばれない。同じく船着場の延長なのに、そこからは「スキャヴォーニの河岸《リヴァ・デリ・スキャヴォーニ》」と呼ばれる。聖《サン》マルコの船着場が、艦隊の旗艦が錨《いかり》をおろす桟橋《さんばし》であれば、スキャヴォーニの河岸は、旗艦に従う軍船が列をなしてつながれる桟橋であった。もちろん、ガレー軍船に占領されていないときは、商船の船尾が果てしなくつづく状態では変りはない。

そして、軍船商船を問わず、海運国ヴェネツィアにとっては不可欠の下級船員の供給地であるダルマツィア地方の人々を尊重する証《あかし》とでもいうように、このあたりから延々とつづく船着場は、ダルマツィア人の河岸という意味で、「スキャヴォーニの河岸」と呼ばれるようになって久しいのであった。

いきおいこの辺一帯には、ヴェネツィア船の下級船員たちが多く住む。ギリシア正教の教会まである。そのような区域に、ヴェネツィアの貴族がなぜ住んでいるのか。スキャヴォーニの河岸を行くバルバリーゴの頭の中には、その疑問が一瞬ではあったがよぎった。だが、深くは考えなかった。金持の住まう地域と一般庶民地区が明確に分れたことのないヴェネツィアでは、大運河ぞいでさえ、他と比較すれば裕福な家が多い、という程度であったからである。

ヴェネツィア独得のタイコ状の橋を、もう一つ渡った。橋を渡りながらバルバリーゴは、国外勤務が長いとこれを渡る感覚だけは忘れる、と、苦笑しながら思った。

アゴスティーノ・バルバリーゴは、総じて背の高いヴェネツィア貴族の男たちの中に混じれば、さほど目立つ背丈の持主ではなかった。だが、オリエントからの商人やダルマツィアやギリシア出身の船乗りや漕《こ》ぎ手《て》たちで雑踏するスキャヴォーニの河岸を行く彼は、群衆から頭ひとつ抜きんでるので目立つ。黒の毛織りの元老院議員の官服が、生来の背丈をより高く見せていた。

年齢は、四十代の半ばという年頃《としごろ》だ。まだ充分に黒くて豊かな髪は、巻き毛がゆるく一巻きしたあたりで短く切られている。鋼鉄製のかぶとを、かぶりやすいようにという配慮からだった。ひげも黒く、顔の下半分をおおっている。ただ、これも、髪の毛と同じく、ここ数年はこめかみのあたりから白いものが混じりはじめていた。

しかし、身なりに完全に無関心ではないという証拠に、ひげの先は三角形になるように整えられ、それがまた、ヴェネツィアの男たちによく見られる長めの顔を、厳しい感じでまとめるのに役立っていた。

眼は、静かな印象のほうが強い青色をたたえ、顔にのみうかがえる肌《はだ》の色は、褐色《かつしよく》といってもよいほどに陽に焼けていて、これだけは少し前まで彼に質問の矢を浴びせていた政府の高官たちとはちがっていた。

手には、なにも持っていない。戦死した副官の遺品は、以前にすでに留守宅にとどけさせてある。ただ、士官にかぎったとしても、自分の配下で闘って死んだ者の留守宅は、機会に恵まれしだい一度は訪れるのが、バルバリーゴの習慣になっていた。

スキャヴォーニの河岸をしばらく行ったところで、左手に口を開けた小路《こうじ》に足をふみ入れた。この道だと目的の家には遠くなるにしても、聖《サン》ザッカリーアの教会の前を通ることになる。道程も、さほど伸びるわけでもなかった。

バルバリーゴは、なぜかこの教会が、少年の頃から好きだった。いや、教会というよりも、この教会の正面《ファサード》が好きだったというべきかもしれない。

聖《サン》ザッカリーア教会は、いつも静かに立っている。ヴェネツィアでしか見られない曲線の多い様式は、異国的でありながら、余計なものをすべて捨て去った清々《すがすが》しさでおちついていた。使われているのが、白の大理石だけという理由からかもしれなかった。

バルバリーゴは、この教会の正面を眺《なが》めるたびに、静かで安らかでいながら明るい気分にひたれるのだ。

聖《サン》ザッカリーア教会前の広場《カンポ》は、スキャヴォーニの河岸からは二十メートルと入っていないのに、不思議と船着場の喧噪《けんそう》から隔絶されている。人通りがないというわけではない。ただ、ヴェネツィアの他の広場とちがって、ここでは、小路から小路に抜けるのに広場をななめに横切っていくのではなく、教会の正面を横目に見ながら、広場の一面を通れば行けるのがちがう。それで、教会が占める一画だけが、人間世界から隔絶されでもしているかのように、静寂な雰囲気《ふんいき》を漂わせることができるのかもしれなかった。

このような雰囲気は、ヴェネツィアにある他の教会では、人々の寝静まった深夜でもなければ味わうことはできない。

バルバリーゴは、広場に入ったところで足をとめた。折りからの西陽を全面に浴びて、教会の正面を埋める白い大理石は、暖かい色調に変っている。ミサの時刻をはずれているためか、教会の入口にはつきものの乞食《こじき》が一人うずくまっているほかは、人影もない。バルバリーゴは、なじみ深いこの光景を前にして、ヴェネツィアに帰ってきたという想《おも》いを、心の底から満喫していた。

と、そのとき、教会の扉《とびら》が内側から開き、はじめに少年が、そしてそのすぐ後から一人の女が、姿をあらわすのが見えた。

眠りこんでいたように見えた乞食が、めざとくこの二人に声をかける。行き過ぎようとしていた女は、それを耳にしたのか足をとめ、かたわらの少年に、手にしていた小さな袋から出したものを与え、少年になにごとかをささやいた。

与えたのは、小銭でもあったのだろう。少年は乞食に近づき、身をかがめて、乞食にそれを手渡した。乞食の前に小銭を投げたのではなかった。それから少し離れたところに待っていた女のところにもどり、二人は、バルバリーゴの立っていた場所とは反対側に開いた小路に向って歩き出した。

この二人は、母と子にちがいなかった。女が少年にささやきかける感じと、少年が女に向って話しかける態度から、二人の間の親密さがうかがわれた。ただ、その親密さは、無意識のうちにもいたわり合う優しさにあふれていて、それが、バルバリーゴの胸までなつかしい想いでいっぱいにした。彼は、そのような想いを、ずいぶんと長い間忘れていたように思った。

母親のほうは、ひとめでヴェネツィアの女ではないとわかった。ヴェネツィア生れの女は一般に豊満な身体《からだ》つきをしていて、髪の毛も、赤茶けた金髪が多い。金髪に生れない者でも、それに少しでも近づけようと、大変な忍耐をもって髪の毛を陽に焼くのだ。世にいう「ヴェネツィア金髪」だった。

それなのに、聖《サン》ザッカリーアの教会の前で出会ったその女は、黒い薄地のヴェールでかくされていたにしても、黒っぽい髪の持主だった。身体つきも、ほっそりとしなやかに伸びている。総じて重くゆったりとしか歩かないヴェネツィア女と比べて、その女は、優雅でいながら軽やかな歩き方をした。

少年のほうは、年の頃十歳ぐらいであろうか。母親に似て彼もしなやかな身体つきだが、若者の肉体にはまだほど遠い。

バルバリーゴを微笑《ほほえ》ませたのは、この少年の母親への話し方だった。まるで主人と散歩中の小犬ででもあるかのように、母親にぴったりとついたり、ときには少し離れたりしながらも、母親に向って話しかけるのをやめないのである。母親の顔を見あげながら、教会の中では強《し》いられていた沈黙の代償とでも思っているのか、次から次へと話しかけている。母親はそれに、歩みはとめないまでも、いちいち優しく答えてやっているようだった。

母と子は、広場からの小路を抜ける。それは文字どおり、抜けるという表現が当っていた。なぜなら、聖《サン》ザッカリーアの広場からのこの小路は、建物の下をくり抜いた感じの路《みち》を行くからだ。処女マリアの浮彫りで飾られたそれを抜けた後、母と子の二人連れは、道を右にとった。

バルバリーゴは、自分もこの道を行くので、自然に二人の後を追う形になった。ただ、距離はおいた。二人のまわりをつつむなつかしく優しい雰囲気を、もう少し眺めていたい気持であったからだ。それで、二、三十歩の距離をおいたのだった。先を行く二人は、そんなバルバリーゴに、まったく気づいていないようだった。

しばらく行くと、運河ぞいの道に出る。運河に沿う道路は、同じ道でも、ヴェネツィアでは道《カッレ》(路)とは呼ばない。河岸《フォンダメンタ》と呼ばれる。運河が縦横に走っているヴェネツィアでは、あらゆるところに舟があり、それらを横づけできる場所ならば、通常の道路であるとともに河岸の役目も果していたからだった。

運河ぞいの河岸《フォンダメンタ》を少し行くと、小ぶりだが橋があった。あいかわらず親し気に話し合いながら、母と子はその橋を渡りはじめる。バルバリーゴも、聖《サン》セヴェーロ教区に行くならばこの辺の橋を渡らねばならないことを思い出した。運河《リオ》のこちら側は聖《サン》ザッカリーア教区だが、対岸からは聖《サン》セヴェーロ教区になるのである。

しかし、二、三十歩離れて歩いていたバルバリーゴが、タイコ状の橋のたもとまで来たとき、橋の上にも、またその橋を渡りきって後もまっすぐにつづいている小路にも、母と子の姿はなくなっていた。

人の群れの中に消えてしまったのではない。このあたりは街の中心から相当に離れているので、人通りは多くはない。住んでいる人たちだけが通る道なのだ。午後の陽もさしこんでこない寒々とした暗い小路には、猫《ねこ》が一匹通りすぎただけだった。バルバリーゴは、思わず、言葉にならない声を発していた。それまで愉《たの》しんでいた光景が、突然、黒い幕かなにかで遮断《しゃだん》されたような気分だった。だが、これではじめて彼は、本来の目的を思い出したのだ。彼の眼は、家の扉の横にはめこまれている、番地をしるした白い大理石の小板に向けられた。

ヴェネツィアでは、セスティエレと呼ばれる、街全体を六区に分けた行政上の区域がある。また、これらのセスティエレはそれぞれ、その中にいくつもの教区《パロッキア》と呼ばれる分区をかかえる。だから、ヴェネツィアの住居番号とは、××セスティエレの中の××パロッキアの×番、ということになるのだ。

地上の都市ではないヴェネツィアでは、土地に限りがあるために人間の足のつけるところはすべて活用され、道だけでも、大広場《ピアッツァ》、広場《カンポ》、空地《コルテ》、道《カッレ》、小路《ヴィコロ》、河岸《フォンダメンタ》、抜け道《ソット・ポルティコ》と種々さまざまな名称が示すように、活用法も種々さまざまなのである。他の都市のように、道路というものを、古代ローマ以来の概念で考えてすむ贅沢《ぜいたく》は許されない。他の都市ならば、通り《ヴィア》だけでよく、××通りの×番地ですむところが、ヴェネツィアだけは不可能で、現代でも、同じ理由でこの表記法は変っていない。ただ、このヴェネツィアで住所を探し出すのは、少しばかりむずかしい。

バルバリーゴも、目ざす住居番号がどうしても見つからなかった。

このあたりを圧して建っている屋敷は、ヴェネツィア貴族の中でも高名なプリウリの屋敷である。その屋敷の番号が、目ざす番号とは一番ちがいであるのを知って、バルバリーゴはひとまず、プリウリの家の門を押した。出てきた召使は、彼の問いにていねいに答え、それはこの屋敷とは背中合わせになっている一画の番号だと言った。そして、どのように行けばたどり着けるかも教えてくれた。

たどり着いた入口は、まるで人眼《ひとめ》から隠れるかのように、樹《き》の下にあった。バルバリーゴは、はじめて合点《がてん》がいった。土地が貴重なヴェネツィアでは、相当に名の知られた貴族でも、出入口は独立しているという一画を、自分の屋敷と背中合わせにもっていることが多い。海外交易の盛んなヴェネツィアには、他国から来る人が多く、その人々の需要に応じた建築法だった。バルバリーゴがようやく探しだした家も、この種の貸し家の一つであったのだ。

頭上からたれさがってくる黄ばんだ枝葉の陰に、人の訪れを告げるための小さな鉄製の鐘があった。バルバリーゴはそれを、遠慮気に振った。しばらくして、扉が少しだけ開かれた。バルバリーゴは、そこに立ったまま、来意を告げた。それに答えた五十ほどの齢《よわい》の女が主人に伝えに行っている間、バルバリーゴは、門を入りもせずに立って待っていた。待ちながら、彼は、老女の発音に強いトスカーナなまりがあったのを、漫然と反芻《はんすう》していた。

再びもどってきた老女は、今度は門の扉を完全に開き、訪問者を中に招じ入れた。

黄葉した葉がたえまなく降りおちる内庭は、庭と呼べるほどの広さはなかったが、その一画から石の階段が、二階に向って通じている。その階段を昇ったところに、玄関であることを示す扉が開いていた。老女は玄関を入り、小さな部屋を一つ抜けたところで扉を開け、この部屋で待つようにと言って姿を消した。

この家では、この部屋が、客を招じ入れる間であるらしかった。広くはない。だが、南に向いた二つの窓とも運河に面している。運河とて幅は広くはなく、四階や五階の建物が密集するヴェネツィアでは、向いの建物さえ眼前に迫ることが多く、陽差しに恵まれているとは言いがたかった。それでも、薄暗く陰気な雰囲気はなかった。

部屋の片すみには、半円型の暖炉が切られている。火はなかった。おそらく、住まう人の居室にあてられているこの上階やまたさらに上の階の部屋は、南向きであること狭いながらも運河に面していることで、ヴェネツィアの街中の家としては、居心地の良い部類に属すのではないかと思われた。

ただ、家としては小ぶりにちがいなかった。それでいながら、置かれてある家具や調度品がフィレンツェ様式のものであり、しかも相当に質の高いものであることが、アゴスティーノ・バルバリーゴの注意をひいた。

家の中は、物音ひとつしない静かさだ。バルバリーゴは、自分がしばらく待たされているのを忘れていた。

窓ぎわに立ち、ほんの少し開かれている窓から下の運河を見るともなく見ていた彼は、背後に感じた気配に振りむいた。部屋の入口に、濃い青地の服に身をつつんだ、一人の女が立っていた。

バルバリーゴは、その瞬間、いつもの彼からは想像もできない振舞いに出ていた。女が誰《だれ》かわかった瞬間、背を優雅にかたむけて礼をするのを、すっかり忘れてしまったのだ。彼は、歩調だけは確かに女に歩み寄り、女の手を取って、それを自分の両手でつつみこんだ。女も、驚いた様子は示さなかった。ただ、そのほっそりした薄化粧の顔に、やわらかな微笑をたたえただけだった。

未知の男女が未知でなくなったこの一瞬は、不思議な自然さではじまり終ったのである。

椅子《いす》に腰をおろした女に、これも椅子にかけたバルバリーゴは、二年前に起った女の夫であった副官の死のときの模様を、静かな口調で語りはじめていた。女は、涙も流さないおだやかな顔つきのままで、男の話に黙って聴きいっていた。

女の夫は、キプロス近海の海上戦でトルコ兵の放った銃弾に倒れたのである。戦死の報はただちに遺族に送られるが、ヴェネツィア共和国では、戦死者の遺体は本国に送還されない。長い船旅の間、遺体の腐敗を防ぐ方法がなかったのだ。もよりのヴェネツィア基地に葬《ほうむ》られるのが、通例になっていた。

キプロス島にもクレタ島にも、また十日の船旅で本国にもどれる近さのコルフ島でさえ、ヴェネツィア共和国市民を埋葬する墓地があった。だから、ヴェネツィアの遺族のほとんどは、亡《な》くなった家族の遺体を見ることはできない。墓はつくっても、そこには遺髪さえも入っていないことが多かった。

部屋の外に、老女の声がした。部屋の中は、すっかり暗くなっていたのだった。灯《ひ》をもって入ってきた老女に、女は、息子を呼んでくるように、と言った。そして、バルバリーゴに向い、今話されたことを、もう一度息子に話していただけるであろうか、とたずねた。彼には、もちろん異存はなかった。

少年が部屋に入ってくると、部屋の雰囲気はやはり変った。ニコニコと笑みを浮べる少年は、あいさつだけは礼儀正しくすませた後、バルバリーゴの正面の椅子に坐《すわ》って、話を聴く姿勢をとる。

バルバリーゴは、少年に対しても同じ話をくり返したのだが、話し方が、未亡人にしたときとはちがった。対等の男に対する話し方で、語りはじめたのだ。息子をもったことのない彼は、子供への話し方を知らなかったせいもあるが、理由はそれだけではなかった。父親の死の模様をその息子に伝えるこのような場合、たとえ十歳の少年であっても、子供あつかいする気になれなかったのである。少年も、それに充分に応《こた》えた。十歳の少年は、一人前の男の落ちつきを示して、バルバリーゴの話に熱心に聴きいっていた。

母親のほうは、少しばかり二人から離れた椅子に腰をかけ、同じ話が別の話し方で語られるのを眺めていた。その顔は、今再び新たにされた悲しみに沈んではいなかった。それよりも、長い間その存在さえ忘れてしまっていた暖かみを思い出したとでもいうふうに、安らかな喜びすら漂わせていた。

女の家を後にしたバルバリーゴは、橋のたもとで客待ちしていたゴンドラに乗った。

漕《こ》ぎ手《て》に自分の屋敷の名を告げた後、内部が黒のラシャ地でおおわれた小さな船室《フェルゼ》の椅子に身を沈めた彼は、滑るように水の上を進む小舟の上で、暖かい想いで胸の中がいっぱいになるのにまかせた。その彼の頭からは、ヴィチェンツァ近郊の別荘で過ごす考えなど消え失せてしまっていた。

コンスタンティノープル——一五六九年・秋

マーカントニオ・バルバロにはじめて会った人はみな、この男は七十歳をはるかに越えていると思ったにちがいない。実際は一世代若いのだが、彼の外貌《がいぼう》は、一見するだけならば、老いというものを感じさせるすべてをもっていた。

まず、鶴《つる》のように瘦《や》せている。背は高いのだが、脂肪というものはまったくない肉と骨の上を、陽焼《ひや》けした皮膚がおおっている感じだ。ひたいは禿《は》げあがっていて、残りのわずかな頭髪と、そこから切れ目もなしにおりているぼうぼうのひげは、黒よりも白が多く、手入れをしているのかと疑わせるほどの放任ぶりで、離れて見ると荒れはてた灰色にしか見えない。顔は、幾重にも刻まれたしわでおおわれているが、細いが人の眼《め》をひかないではすまない鷲鼻《わしばな》と、大きくて刺すように光る両眼が、この男を、ただの老人とは思わせなかったにちがいない。

また、彼と話を交わした後ならば、ますます、彼がただの老人ではないことを悟ったはずである。そして、この男の肉体上の変容が、彼がトルコ駐在ヴェネツィア大使であるのと密接な関係にあることに気づいた人ならば、外交という任務を重要視する国に生れたことが、彼にとってはせめてもの救いであったとさえ思ったであろう。

マーカントニオ・バルバロは、一五六八年の八月から、コンスタンティノープルに駐在している。一年と少し前からになる。そして、彼自身、想像だにしなかったことだが、彼の駐在は、五年の長きにおよぶことになる。しかも、そのうちの三年は、捕囚の身であった。

バルバロの大使としての前任地は、フランス王の許《もと》だった。フランスは大国だ。そして、同じキリスト教国といえども心を許せる国など存在しない時代であったが、ヴェネツィアにとってのトルコは、なんといっても特別な国である。東地中海世界で、両国の利害は真向からぶつかっていたからだ。このトルコに、ヴェネツィア共和国政府は、フランスやスペインの大使も経験ずみの最高の外交熟練者を、大使として送りこむのが通例になっていた。バルバロも、ヴェネツィア・トルコ間の緊張が高まりつつあるとき、手もちの中では最良のカードという感じで、ヴェネツィア共和国の元老院が選出した人物である。

そういう人物だけに、着任後ただちに情勢を正確に把握《はあく》するなど、驚くにはあたらないことだった。大使バルバロは、本国への報告書の中で、次のように書いている。

「トルコとの外交交渉は、ガラス張りの玉を投げあう遊戯に似ています。ただし、向うが強く投げてきても、こちらは強く投げ返すことはできず、かといって、玉を下に落としてすむものでもありません」

十歳も老《ふ》けて見えるのも、無理はなかった。

平時でさえ、ヴェネツィア共和国にとっての仮想敵国ナンバー・ワンのトルコ駐在は、顔のしわが一ヵ月に一本のわりで増えていくぐらいの気苦労はある。それなのに、一五六九年の秋という時期は、バルバロにとっては、秋どころか冬であった。トルコ側に、ガラス張りの玉を、常よりは強く投げてきそうな気配が漂いはじめていたからだ。

その年の九月十三日、ヴェネツィアにある国営造船所《アルセナーレ》で、火災が発生していた。

ヴェネツィアの国営造船所は、ただ単に船の建造のためにある工場ではない。一種の流れ作業によって、竜骨《りゅうこつ》や板を曲げる作業から進水まで一貫してできるように組織化されていたが、この中には、船に積みこむ大砲から戦闘員のもつ小銃や石弓まで収めた倉庫もあり、帆の縫製所もあるという具合で、なによりも火薬の貯蔵庫までもっているのが特色だった。そのために、ヴェネツィアの中心街から離れた北東部に位置し、城壁というもののまったくないヴェネツィアで、ただ一区域、胸間城壁までそなえた高い壁で囲まれた一画であったのだ。

九月十三日の深夜に発生した火災は、多くの火薬庫のうちの三つに延焼し、それらが爆発を起したために大事件になったのである。

四度にわたって起きた爆発は、一万四千ドゥカートもの値の火薬を灰にしただけでなく、その附近の城壁を四十メートル近くも吹きとばしてしまった。城壁のすぐ近くにあった修道院と教会も破壊されている。

船の被害は、四隻《せき》のガレー船が炎上しただけでたいしたことはなかった。

だが、ヴェネツィア市民は、国営造船所には火薬庫もあることを知っている。それで、夜が明ける頃《ころ》まで、舟の上に避難した人々で、大運河までがいっぱいになったのだった。

不幸中の幸いは、火薬庫にこれ以上の火がおよばなかったことと、火災発生の場所近くに置かれてあった二十四万リーブレもの火薬を、数日前にコルフ島に送りだしていたことだった。また、数十隻もの建造途中のガレー軍船も、ほとんど無傷で残ったのである。

そして、火災による被害と爆発による破壊の箇所は、ただちに修復された。工場が以前のように動きだすのに、一週間を要しなかったのである。

しかし、ヴェネツィアからコンスタンティノープルに情報がもたらされるのに、普通は一ヵ月かかる。しかも、なぜか自分たちにとって有利な情報だけが、早くもたらされるものである。「国営造船所炎上」を知ったトルコ宮廷は、その後の再建の情報となると、ずっと後になるまで知らなかった。

ヴェネツィアの国営造船所炎上という知らせに、トルコ宮廷内の強硬派は色めきたった。ヴェネツィア海軍はもはや再起不可能、と判断したのである。今こそキプロス、クレタ奪回のとき、と彼らは主張した。

これには、それまで強硬派を押さえこむのに成功していた穏健派の立場が、微妙なものにならざるをえなくなった。

穏健派は、三年前に死んだ先帝スレイマンの考えを今なお忠実に守る人々で、この派の指導者は宰相《さいしょう》ソコーリである。ヴェネツィア大使バルバロが、交渉可能な唯一《ゆいいつ》のトルコ高官、と考えている人物でもあった。

穏健派とは、いつの世でも同じだが、現実派なのである。ヴェネツィア共和国の経済力がトルコ帝国の運営にとって役に立つ、と考えている人々だった。ヴェネツィア側には、現状以上の領土拡張の意志はない。ヴェネツィア人が必要としているのは、経済活動の自由なのである。それには、キプロスもクレタも重要なのだ。一方のトルコは、東地中海をかかえこむほどの、広大な領土の主《あるじ》になっている。トルコ宮廷内の穏健派は、この点で、ヴェネツィア共和国と利害は一致していると見ていたのである。彼らには、このヴェネツィアとの間に、戦いを交じえる理由を見出《みいだ》せなかった。

反対に強硬派は、頭目にピラル・パシャをむかえ、新スルタン・セリムを囲む、宮廷内では新参の者たちでかためられていた。

この派の人々は、言ってみれば理想主義者の集まりだった。コーランの教えを全世界に広めることこそ、イスラムの本義であると信じている。彼らにすれば、自分たちの帝国の中にキリスト教徒の基地を残すなど、屈辱以外のなにものでもないのである。キプロスやクレタを奪回した後、これらの島がトルコ帝国にどれほどの寄与をできるかなど、彼らの頭にはないことだった。この強硬派に、ヴェネツィアの支払うキプロス使用料という感じの年貢金《ねんぐきん》のほうが、トルコが直接に統治するよりも経済的に利益が多いという現実も、まったく説得力をもたない。東地中海でのキリスト教勢一掃は、この世界ではスペインさえもおよばない大帝国になったトルコにとって、面子《めんつ》の問題でもあったからである。

そして、酔いつぶれるだけが能の、しかし全世界から大帝と尊称された父をもってしまった若いスルタン・セリムは、正気でいるときにはなにか父親のやらなかったことをする野心だけはもてあそぶことの好きな専制君主でもあった。

大使バルバロには、本国政府から正確な情報が送られてくる。国営造船所の火災による被害が実際はどの程度であったかを、コンスタンティノープルにいる人間の中で彼以上に正確に知っている者はいない。バルバロは、宰相ソコーリに、正確なところを知らすべきと判断した。知らせるほうが、知らせないよりも、有利である場合があるのだ。

トプカピ宮殿に参上した大使は、通訳だけが同席した席で、宰相にすべてを話した。被害を受けた船のどこがどう破壊され、その修理にどれほどの時間と費用がかかるかまで打ち明けたのである。宰相に、穏健派の失地挽回《ばんかい》のための材料を与えたつもりだった。

しかし、一度燃えあがった激情を静めるのは、火災の消火よりもむずかしい。トルコ宮廷内の強硬派は、宰相の説得に言い負かされなかった。彼らは、次から次へと理由をあげる。

いわく、アドリア海に出没する海賊船にトルコ商船が襲われるのは、ヴェネツィア海軍の警備が、トルコ船だけを例外にしているからだ。

いわく、キプロス島は、トルコ船襲撃のみを目的とするマルタの聖ヨハネ騎士団の船に、寄港を許している。

これらはみな、根拠の少しもないいいがかりである。だが、いいがかりが、専制君主であるスルタンの黙認を得ているとなると問題だ。大使バルバロは、日頃から怠っていなかった情報収集に、一段と熱を入れるようになった。

そして、その結果、本国政府に対し、次のような警戒情報を発するしかないと判断したのである。

まず、十一月十一日の時点で、トルコ側の雲行きが危険な方角に流れつつあるという信号を発する。

そして、十二月十九日と日附《ひづ》けのある報告書では、危険な雲行きを具体的に実証することで、それを確認し、要約すれば次のようになる内容の報告書を送った。

トルコ領内の各港では、造船の速度が常よりもあがっていること。それはとくに、地中海に面した港でいちじるしいこと。その目的はキプロス攻略であるとの情報が、信頼すべき筋からもたらされたこと。ゆえに自分からも、キプロスとクレタの総督あてに、防衛上の準備怠りなきようとの手紙を送ったこと。

この報告によって、大使バルバロは、本国政府に対し、非常時に備えた軍備増強と、両島への、とくにキプロスへの援軍派遣を促したのである。百年もの昔から植民地であるキプロスには、平時の警備隊しか駐屯《ちゅうとん》していないからだった。

一四五三年に、東ローマ帝国とも呼ばれたビザンチン帝国が滅亡し、その年から勝者トルコの首都に変ったコンスタンティノープルは、金角湾をはさんで、コンスタンティノープル地区とペラ(ガラタとも呼ばれる)地区に分れる。ビザンチン帝国時代は、ペラはジェノヴァ商人の専用地区であり、ヴェネツィアやその他の西欧人は、コンスタンティノープル地区の中でも金角湾に沿う区域に活動区域をもっていた。ジェノヴァに対抗する勢いのあったヴェネツィアの商業活動は、西欧商人の中でも群を抜いて強力で、大使館も商館も、この地区にあったのである。近くにある香味料のバザールは、「ヴェネツィア人のバザール」と通称されていたくらいだった。

その状態が大きく変ったのが、一四五三年のコンスタンティノープル陥落からである。

数世紀にわたってガラタの基地を独占していたジェノヴァ勢力は追放され、この頃からはもっぱらペラと呼ばれるようになったこの地区には、コンスタンティノープル地区を追い出されたヴェネツィアや他の西欧人が、強制的に移住させられた。居残ることに決めたジェノヴァ人も、今度はそこに同居の身だ。

大使館も商館も、ペラ地区に移る。バザールと呼ばれる商品取引の場だけは、コンスタンティノープル地区に残された。おかげで、金角湾は、ペラ地区からコンスタンティノープル地区に通勤する西欧の商人たちの使う小舟が、水すましのように行き交う水路になっていた。

ジェノヴァ勢が衰退してからはなおのこと、ヴェネツィアに並ぶ西欧勢はいなくなる。そのためか、ペラにある西欧各国の大使館の中では、ヴェネツィアのそれが最も良い位置を占めていた。金角湾から丘上にのびるペラ地区でも高いところにあるので、金角湾をはさんで対岸にあるコンスタンティノープル地区を、一望のもとに眺《なが》めることができる。ただし、建物自体は豪勢とはほど遠かった。単身赴任が通常の大使と、副官と秘書官が数人、それに料理人をふくめた従者たちの居住に、かろうじて充分という広さしかない。内部の装飾も、ヴェネツィア本国の貴族の屋敷にとうていおよぶものではなかった。しかし、それは、大使館費が不足していたからではない。豪華好みが激しくなる一方の、トルコのスルタンを刺激しないための配慮であった。

その大使館では最も居心地のよい大使居室の窓から、バルバロは、弱い冬の朝陽を浴びているコンスタンティノープルを眺めていた。モスクの半円型の屋根と、鋭く切っ先を天に向けている尖塔《せんとう》の群れが、イスラムの都市であることをなによりも強く感じさせる。バルバロには、このコンスタンティノープルをじっくりと眺めるのも久しぶりの想《おも》いがした。

本国政府への緊急報告は、例によって二種の暗号文にして、別々の方法で昨日送りだしたばかりだ。彼には、本国が動きだすのを待つしかないのであった。

ただ、バルバロにはまだ、二つの仕事が残されていた。

トルコ帝国内にいる、とくにこのコンスタンティノープルに集中している自国の商人の保護策を、非常時到来にそなえておくことと、小麦の輸入量を増やすよう、ヴェネツィア商館に指令を与えることであった。

食糧が自給体制にないヴェネツィアでは、トルコ領になっている黒海周辺地区からの小麦の輸入は、ヴェネツィアの対トルコ輸入の、最大部分を占めていたのである。これが止まるとなると、ヴェネツィアには困った事態になる。バルバロにできることは、輸入量を増やさせることだけだが、ヴェネツィアはいずれ、小麦の輸入国を他にふり替える必要があった。

だが、これはもう、本国政府の仕事である。ヴェネツィアの海外植民地の中で、唯一輸出できる量の小麦を産するのは、クレタ島しかない。しかし、今は冬だ。いかなる対策に着手するにしても、せめて小麦の穫《と》り入れが終る季節まで、事態が今の状態でつづいてくれたらと、バルバロは神に祈るような気持だった。

ヴェネツィア——一五六九年・冬

人は、真実を見抜く眼《め》をもっていないのではない。ただ往々にして、真実であってほしいと思っていることを、真実と見てしまうものなのである。

コンスタンティノープル駐在ヴェネツィア大使バルバロの報告を受けた直後のヴェネツィア政府の対応が、まさにその好例であった。

情報が不足していたのではない。情報を正確に客観的に把握《はあく》する、意志と能力に欠けていたのでもない。それでいて、ヴェネツィア共和国首脳部の対応は、敏速とはとても言えないものだった。

ヴェネツィアの外交と軍事の決議機関である元老院では、意見は真二つに分れていた。トルコはキプロス攻略を決めたのだと判断する派と、結局これも、通商料値上げを目的としたいつもの脅しにすぎない、とする派である。

共和制では、多数決ですべてが決まる。元老院が方向を決められないようでは、秘密の決定権をもつ「十人委員会」も、足かせをはめられた状態にならざるをえない。この状態でも少なくとも決議されたのは、キプロス救援の陸兵を傭《やと》うことと、国営造船所をフル回転させることの二つだけだった。

国営造船所に関しては、三人の貴族からなる特別の委員会が設置された。その委員長には、アゴスティーノ・バルバリーゴが選ばれた。

バルバリーゴは、この任務を心から喜んで受けた。ヴィチェンツァの別荘に行かず、ヴェネツィアの街中にとどまりつづける理由ができた想《おも》いだった。

大運河に沿う彼の屋敷から国営造船所まで、朝は自家用のゴンドラで通う。彼の舟はそのまま、造船所内に乗り入れる特権を与えられていた。

午前中は、事務所の中での技師長たちとの討議に費やされる。軍船の建造が主要目的であったから、船の構造上の改良にも討議は白熱する。船首に長く突き出ている舳《へ》先《さき》に、先端を鋭くとがらせた鉄の棒をつけさせたのもその一例だった。敵船の船腹に突きたてるときに、鋭く強力であればあるほどよい。

帆船に櫂《かい》をつけ、大砲を整備した「ガレアッツァ」と呼ばれる帆船とガレー船の合の子のような船は、大砲の位置を検討しなおす余地がまだ充分にあった。この型の船は、ヴェネツィア海軍だけがもつ、当時の新兵器でもあったのだ。

昼食は、技師たちとともに、造船所内でとる。技師や工員たちは、朝すでに持参した昼食を広げるのだが、バルバリーゴには、その時刻になると屋敷からとどけられるのだった。

昼食を終えると、毎日、彼は女の家に行き、学校から帰って昼食を終えた少年を連れて再び造船所にもどる。造船所から女の家までは、さほどの道のりではなかった。それに午後の彼の仕事は、建造途中の船を見まわりながらの、技師たちとの話し合いだ。十歳の少年には、船の上にあがったり船内を見たりのこの仕事につきあうのが、とても愉《たの》しいらしかった。まだ頰《ほお》のふっくらした少年は、眼を輝やかせながらバルバリーゴの後についてまわる。そして、ときどき、背の高い彼を見あげて、幼ない質問を浴びせかけるのだった。

晩鐘の音とともに、広大な造船所も音が絶える。バルバリーゴは、少年を家に送りがてら、ヴェネツィアの市街全体の半分ほどの距離を、自分の屋敷まで歩いて帰るのが日常になった。

ほんのときおり、少年の母親は彼を、夕食まで引きとめることがあった。そのような夜に供される夕食は、母子のつましい暮らしぶりをしのばせるものだった。だが、貧しい食事とは裏はらに、夕食の席での母と子の振舞いは、大貴族の食卓でもまれなほどの品位に満ちていた。

このような機会が重なるにしたがって、バルバリーゴは、それまではまったく知らなかったことを知るようになった。

女は、名をフローラといった。フィレンツェの、姓をきけばバルバリーゴもうなずくほどの名家に生れ育った。ヴェネツィア大使の秘書官としてフィレンツェに滞在していた夫に見染められ、結婚してヴェネツィアに住むようになったという。老女は、彼女の乳母だった女で、結婚のときに彼女についてきて今につづいているとのことだった。息子は、だからヴェネツィアで生れたのだ。

ただ、夫の両親は、他国の女と結婚した長男よりもヴェネツィア貴族の娘を妻にした次男のほうを好み、大運河の近くにある屋敷も、長男の死後は、両親と一緒に住むのは次男の家族になって、この母と子は、貸し家に移らざるをえなくなったらしかった。

それでも、フィレンツェの実家には、たとえもどれようとももどるわけにはいかないのである。少年はヴェネツィア貴族の嫡男《ちゃくなん》だ。二十歳になれば共和国国会の議席を保証され、三十歳に達すれば、元老院議員に選出される資格をもっていた。

フィレンツェの実家には両親はもはやなく、家督は女の兄が継いでいる。両親からゆずられていたフィレンツェ市内の家と郊外の別荘を売って得たものと、結婚当時の持参金をあわせて国債を買い、その利子で生活しているのである。ヴェネツィア共和国では、戦死者でも貴族ならば、遺族への年金はないのだった。

それでも、女は、つましい現状にうちひしがれているようには見えなかった。しっかりした口調で、息子をヴェネツィア市民として育てあげることしか今は考えていない、と言った。それからふと頰をゆるめて、生き生きと愉しそうな息子を見るのはどれほどうれしいことか、あなた様のおかげと感謝しています、とつけ加えた。

フローラは、いつ会っても、立居振舞いが典雅で毅然《きぜん》とした女だったが、あるとき、バルバリーゴが口にした言葉から態度が変ったのだ。変ったというよりも、崩れたのだった。

「さっそうと波を切って進む船も、海上はるかに眺めるのならば、どの船も完璧《かんぺき》な状態にあるように見えるのです。だが、そういう船でも、ときには港に入る必要がある。港に入って休息し、疲労した箇所を修理したり。港は、だから、どんな船にも必要なのです」

これを彼が言ったのは、夕食を終えた後にサロンに場所を代えたときだった。少年も、給仕をしていた老女の召使もいない。薪《まき》の燃える音だけのする暖炉の前には、彼と女しかいなかった。

フローラは、黒い眼を大きく見開いて聴いていたが、そのうちに眼に涙がにじみはじめ、またたくまにあふれそうになり、一瞬後、あふれた涙がひとすじ、女の頬から流れ落ちた。

頬を流れ落ちる涙は、しばらく止まらなかった。女は、声もなく泣きつづけた。バルバリーゴは、はじめて会ったときに思わずしたように、女の両手を自分の両の手でつつんでやった。ただ、このときは、二人の手はすぐには離れなかった。長い間、そのままだった。しばらくして、男は、流れ落ちる涙をうけてぬれた女の手に、静かに接吻《せっぷん》した。わずかながら、塩の味がした。

男は、港を借りた。女と会うために、小さな家を借りたのである。造船所と彼女の家の、ほぼ中間にそれはあった。都心から離れているので、人眼に立つ怖《おそ》れも少ない。商用でヴェネツィアを訪れる他国者のために、この種の貸し家の多いヴェネツィアでは、探すのに苦労はなかった。独立した入口をもつ、二部屋だけのごく小さな家だった。

バルバリーゴには、フローラの家は、彼女にとって港にはなりにくいことがわかったのだ。息子と乳母との三人ぐらしの家は、三階まであるといっても、屋敷と呼べるほどの家ではない。それにこれは気分の問題だが、あの家ではフローラは、母親であることから抜け出せないのであった。

男は、女に、なにも言わずに鍵《かぎ》をわたした。住所も知らせた。そして、日と時刻も伝えた。

視線をひとまわりさせればすべてが見えてしまうような小さな家の中で、バルバリーゴは待った。来ないかもしれない、とも思った。いつになく、不安になった。彼らしくもなく、部屋の中を歩きまわった。

とそのとき、慣れない鍵を鍵穴にさしこもうとしているのか、気おくれがちな鈍い音が聞こえた。彼は、入口に走った。彼が内側から開けるのと、扉《とびら》が外側から開けられたのとが、ほとんど同時だった。開いた扉の向うに、女が立っていた。

二人とも、一言も口をきかなかった。家の中に女をかかえ入れたとき、フローラは、帆をたたんだ船が港の入口からすべりこむのに似た自然さで、男の腕に身を投げかけてきた。この女にはわたしが必要だ。これが、バルバリーゴの胸にわいてきた、ただ一つの想いだった。

ヴェネツィア——一五七〇年・春

ヴェネツィア共和国は、平時でも、東地中海域を常時監視する艦隊をもっている唯《ゆい》一《いつ》の国家であった。これは、他の国ならば武装解除してしまう冬期でも、休むことはなかった。

他の国ならば、冬に入るや翌年の春まで、商船以外に港を外にする船はない。商船でも避けたがる冬期の航海を、軍船となるとほとんどしなかった。

船は港に入り、造船所での修理にまわされるか陸地に引きあげられるかして、春の訪れを待つ。漕《こ》ぎ手《て》も船乗りも、軍船だけに多数乗っている戦闘員も、この時期は解雇され、春になって再び傭《やと》われるのが常だった。

ヴェネツィアとて、大筋のところは他国と変らない。ただ、冬期でも海上を警戒する小艦隊は手放さなかったというだけである。また、この国では造船所の任務も、一年中武装解除をしないのが建て前である以上、いつでもどこにでも必要となれば艦隊を送りだせるようになっていなければならなかった。

平時でも、冬期のヴェネツィアの警備船は、次のように配置されていた。商船の往来の激しくなる春から秋にかけては、これが二倍の数に増える。

まず、ヴェネツィアのあるアドリア海の北半分の警戒用として、ヴェネツィアの港には、常時十隻《せき》のガレー軍船が、いつ出港してもよい状態で待機する。

そして、アドリア海の出口をかためるコルフ島には、アドリア海の南半分とギリシア南西の海域警備として、六から八隻のガレー軍船が駐屯《ちゅうとん》していた。

この艦隊の司令官名は、「湾警備艦隊司令官《カピターノ・デル・ゴルフォ》」という。ヴェネツィア海軍の中でも要職中の要職とされていた。現代のようにアドリア海とは呼ばれず、「ヴェネツィアの湾」という呼び名がもっぱらであった時代だ。その出入口にあるコルフ島は、ヴェネツィア共和国にとっては、ほんとうの意味での外港でもあった。

コルフからさらに南にさがると、ザンテの島が見えてくる。この近海には、大型ガレー軍船が常に一隻は巡航していた。

エーゲ海に入れば、東地中海上に浮ぶ最大の基地、クレタ島が立ちふさがる。ヴェネツィア直轄《ちょっかつ》の植民地であるクレタには、北アフリカまでの海域を担当する警備艦隊が配属されていた。冬期でも、少なくてもガレー軍船四隻の姿を見ないことはない。

そのクレタからさらに東に進むと、地中海の東端に位置する島キプロスがある。ここにも、冬でさえ四隻が駐屯していた。対トルコの最前線基地でもあったからだ。バルバリーゴがつい数ヵ月前まで指揮していたのは、このキプロス駐屯艦隊だった。

もちろん、これらの配属地は固定しているわけではない。変事が起るや、各基地駐屯の艦隊は、必要とされた海域に移動する。これらの基地配属の艦隊が合同して行動する場合の指揮は、コルフ島駐在の司令官がつとめ、戦時ともなれば、本国政府が任命する最高司令官が、大艦隊をひきいて南下してくることになる。そのときには、コルフの司令官以下各基地の艦隊の司令官はみな、ごく簡単に「海の総司令官《カピターノ・ジェネラーレ・ダ・マール》」という官名の、ヴェネツィア海軍最高司令官の下に属すことになるのだった。

一五六九年から七〇年にかけての時期も、コルフ、クレタ、キプロスの各基地配属の艦隊は、いつもと変らない冬を送り、春を待っていた。この三つの島には、ヴェネツィア本国ほど大規模ではなかったが、当時では最高水準の技術と設備をそなえた造船所も完備していた。

しかし、これらの海外基地の造船所は、いつもの年と同じに商船の修理も引きうけていたが、ヴェネツィア本国の国営造船所は、それだけがちがっていた。商船は私営の造船所にまわされ、軍船のみ建造という命令が、秘《ひそ》かに伝えられていたからである。バルバリーゴも、だからここでは、キプロス駐在当時とはちがい、軍船だけを考えていればよかった。

一五七〇年の初春にヴェネツィアの国営造船所で建造されつつあった船は、大別すれば次の三種に分れた。

第一は、通称「細身のガレー船《ガレア・ソッティーレ》」と呼ばれる、ガレー軍船である。長さは四十メートルはあり、幅は四メートル、高さは吃水線《きっすいせん》から計って一・五メートル近くあった。帆柱は、一本が普通。それに、四十メートル近くもある帆桁《ほげた》がななめにつき、帆桁には、順風のときは大三角帆が張られる。帆の大小は多く、風の強さと向きに応じて取り換えるようになっていた。

船橋は、船尾にしかない。しかもこの型の船では、船橋といっても固定した屋根があるわけでもなく、多くは籠《かご》のような造りがかぶさっているだけで、それを帆布と同じ丈夫な布地でおおって用を足しているにすぎない。

軍船だけに、居住性など無視されたも同然だった。レース専用のヨットと同じ概念で、船首には、鋭く先のとがった鉄棒つきの舳先が、鳥のくちばしのように長く突き出ている。

この型の軍船では、百六十人の漕ぎ手が百六十本の櫂をあやつり、帆のあげおろしや錨《いかり》のあつかいやその他の船の運航のために、二十人の船乗りが乗船し、砲手もふくめた戦闘員を、最小限六十人は必要とした。

これでも、戦闘員の数となれば他国に比べて少ないのである。だが、ヴェネツィアの漕ぎ手は、他国、とくにイスラムの国々の船とちがい、鎖でつながれた奴隷《どれい》ではなく自由民なのだ。そのために、いざとなれば彼らも戦闘員に代わりうるので、必要最小限の兵力でもやっていけないことはないのだった。大砲は、船首にしか配置されていない。

第二の型の船は、この細身のガレー船をひとまわり大きくした船だった。

帆柱も、三本ある。漕ぎ手も二百人を上まわり、船高は倍増し、船橋も、船首と船尾の二ヵ所にもうけられた。船尾の船橋も、屋根らしい屋根もあって居住可能だ。ただし、この型でも、大砲だけは船首にしかなかった。

この大型ガレー船は、商船としてもっぱら活用されたガレー船だったが、軍船とし

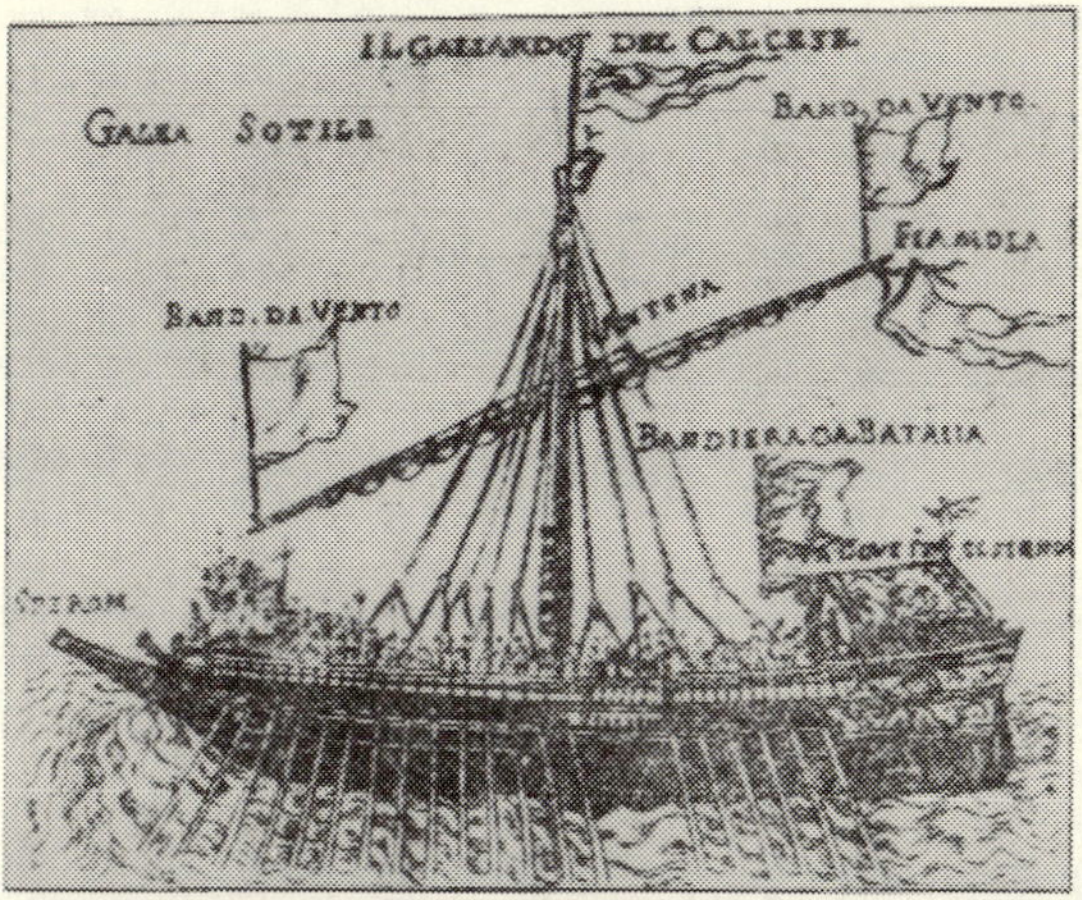

〔上〕ガレー軍船（ヴェネツィア）
〔下〕ガレアッツァ

て使われる場合は、司令官乗船用として使われることが多かった。細身のガレー軍船に比べて、より大型だけに動きが鈍いのだ。細身のガレー船が軍船として活用されていたのは、その動きの自由にあったのである。

この大型ガレー軍船は、旗艦でもあるだけに、他のガレー軍船が濃い茶色に塗られているのとちがい、全艦が真紅に塗られている。櫂《かい》までが同じ色だ。俗に「ヴェネ《ロッソ・》ツィアの真紅《ヴェネツィアーノ》」と呼ばれる色で、金糸で聖《サン》マルコの獅子《しし》を縫いとりした、ヴェネツィア共和国旗の地色と同じ真紅だった。

いつものようにバルバリーゴと連れ立って造船所めぐりをしていたフローラの息子は、もう慣れ親しんだ男に向い、あれには誰《だれ》が乗るのか、とたずねた。ちょうど彼らの眼《め》の前のドックでは、二隻の旗艦が仕上げの最中であったからだ。バルバリーゴは、かたわらの少年を見やり、微笑しながら、まだ誰が乗るのか決まっていない、と答えた。その一つに自分が乗るようになろうとは、そのときの彼には思ってもみないことであったのだ。

国営造船所で建造中の船の中で、人の眼をひかずにすまない型の船が、もう一種あった。「ガレアッツァ」と呼ばれる船である。別名を、愛情をこめてにしても、妾腹《バスタルダ》の子、というふざけた名をもつ船でもあったが、帆船とガレー船それぞれの特色を合わせた、他国では見られない、十六世紀後半のヴェネツィア海軍が考え出した新兵器でもあった。

長さは四十五メートルと、旗艦用のガレー船よりは短い感じだが、幅は十メートル近くある。そのうえ高さとなると、吃水線からだけでも十メートルと、帆船並みに変る。

帆は、三角帆を主としながらも四角帆も備えており、それらを張る帆柱の数も、主要の三本に加えて船尾にも一本あった。

帆船とガレー船の合の子なのだから、当然、風の有る無しにかかわらず船の動きが自由なように、櫂も備えられている。ただ、ガレー軍船とちがうところは、漕ぎ手たちの位置が甲板の上ではなく、甲板のすぐ下の階に並ぶ方式をとっていることだった。

これは、ガレー船が敵との接近戦をもっぱらとしたのに対し、ガレアッツァは、離れたところから敵船に砲撃を加えるのを主目的としていたので、漕ぎ手まで戦闘要員に動員する必要がほとんどなかったからである。また、甲板下に漕ぎ手を配置する利点は、彼らを敵の砲撃から守れることにあった。

ただし、ガレアッツァは、細身で船高の低いガレー船に比べれば、水や風の抵抗を受ける比率が高く、大型船でもあるから動きが鈍い。しかし、海上に浮ぶ砲台のつもりで考案された船だけに、船首に備えられた砲台は、三段階に分けられた円型の船橋すべてを活用したもので、合計十門もの大砲が、二百七十度の方角すべてをフォローできるように配置されている。

左右の舷《げん》にも四門ずつ大砲が備えられ、船尾の船橋には、小型にしても十から十二門の大砲がついていたから、全船が砲台と言ってよかった。小銃もふくめれば、六十発もの砲弾が、理論的には同時に火を吹くことも可能ということである。

乗組員も、これほどともなると大幅に増えざるをえなく、一船につき、四百から五百の人間が必要とされた。

人的資源には恵まれないヴェネツィアでは、人海作戦だけは夢なのである。そのヴェネツィアにとって、大砲を海でも活用することは、資源の節約にもなり、同時に、もてるものの最も効率良い活用にもつながるのであった。

しかし、ガレアッツァだけでは海戦はできない。トルコは小型のガレー船で向ってくることが多いので、動きの自由度ということになると、ガレアッツァにはいまだに不利な点が多すぎた。それで、従来のガレー軍船とガレアッツァを併用する戦術を、ヴェネツィアは考えだしたのである。風の向きの変りやすい地中海では、帆に頼るだけでは戦争にならないのであった。

一五七〇年初頭、ヴェネツィアの国営造船所では、ガレー軍船ならば一日に一隻進水可能、という状態にまでなっていた。この状態を持続できていたからこそ、数ヵ月のうちに、百五十隻のガレー軍船、十二隻のガレアッツァ、三十隻以上の大帆船の進水も現実化できたのだ。大帆船は、戦闘には直接参加しなくても、兵糧《ひょうろう》や弾薬を運搬する任務をもつ。これほどの建造能力をもっていた造船所は、十六世紀後半の当時、ヴェネツィア以外には一国もなかったのである。

しかし、技術力だけで戦争の勝敗が決まるわけではない。とくに、都市国家ヴェネツィアとは比べようもない広大な領国を有する領土型の大国家の台頭がいちじるしかった十六世紀、ヴェネツィアの敵は、当時では世界最大の領土をもつトルコ帝国であった。

一五七〇年の二月半ば、ヴェネツィアの街に、一人のギリシア人が到着した。トルコのスルタンの親書をたずさえてきたという男で、ヴェネツィアの街中にあるフランス大使の屋敷に客として迎えられた。

外交官のいないトルコでは、重要な任務でもしばしば、必要から数ヵ国語をあやつれる被支配民族のギリシア人を使う。外交官がいなければ常設の大使館もないわけだから、トルコからの使節は、ヴェネツィア滞在中は普通のホテルを使うことが多かった。ただ、ここ数年はトルコとフランスは同盟関係にあるので、この年のトルコの使節をつとめるギリシア人は、この縁で、ヴェネツィア駐在フランス大使の客になったのである。

二月二十七日、このギリシア人は、元首官邸内の元老院議場で、スルタンの親書を読みあげ、それへの回答を求めた。親書は実に高圧的な調子で終始し、キプロス島の〝返還〟を要求したものであった。

さすがに、元老院議場の空気は硬化した。このトルコのスルタンからの要求を容れるか否《いな》かを問うた投票は、二二〇票中一九九票の反対という結果になった。ヴェネツィア共和国は、トルコ帝国の要求を拒否したのである。一五四〇年以来三十年間にわたった、トルコとの不戦状態の終結であった。

戦争必至の空気は、他のどこよりも、国営造船所内の雰囲気《ふんいき》を一変させた。臨時傭《やと》いの職工や女工たちも動員され、つち音が高くひびく向うでは、帆の縫製作業のピッチがあがる。造船所内で見かける船乗りの数も増え、各軍船ごとに乗りこむ技師たちの配属も決まった。

あわただしい雰囲気で張りさけそうな造船所に、バルバリーゴは、少年を連れて行くことを、もうこれ以上つづけないほうがよいと判断した。少年はひどく残念がったが、聞きわけの良い子でもあった。だが、バルバリーゴは、少年の母親に会うことまでは断念するつもりはなかった。

二月も末近くなって、突然彼は、この職務から解任された。しかし、秘かに呼ばれた十人委員会の部屋では、別の任務が待っていたのである。

「十人委員会」とだけ簡単に呼ばれるこの委員会は、その平凡な名称の裏に、強大な権力を隠しもつ機関だった。

この委員会は、十人委員会と呼ばれていても、実際は十七人の委員によって構成されている。十人の委員と元首《ドージェ》と六人の元首補佐官で、十七人になるのだった。

元首だけは終身制だが、他の十六人は、時期はちがっても一年で改選される。ただ、十六人とも、元老院議員の中から選ばれることでは変りはなかった。つまり、老齢者の多い元首に老齢階級を代表させ、六人の元首補佐官は五、六十代が多く、その他の十人は三、四十代でも選ばれることが少なくない。ヴェネツィア共和国の国政担当者の各年齢層を、いみじくも代表させてもいるわけだった。

「十人委員会」は、秘密裡《り》での敏速な決定を必要とする場合に、しばしば元老院や国会での討議にかけずに、独自の判断で動きだすことを許された機関であった。また、これを目的とすれば当然の帰結だが、極秘情報の収集機関でもあったのだ。ために、この委員会から仕事を与えられるということも、秘密のヴェールにつつまれることを意味する。任務を与えられた者の名も、ほとんどの場合、表面に出ることがなかった。

バルバリーゴに課された任務も、この通例からはずれるものではなかったのである。出発まで、三日の猶予《ゆうよ》が与えられただけだった。

エーゲ海——一五七〇年・春

ほんとうを言うと、アゴスティーノ・バルバリーゴがあのとき、どのような密命をおびてヴェネツィアを発《た》ったのかを、私は知らない。ヴェネツィアの古文書庫に残る十人委員会関係の史料を徹底的に洗えばわからないでもないと思うが、それを怠った私は、レパントの海戦当時の重要史料とされているものしか勉強しなかったからである。そこには、密命の内容までは記されていなかった。

ただ、彼の行動の跡をたどることはできる。そして、それを他の史料と重ね合わせると、おおよそのところは想像可能になってくるのだ。

一五七〇年二月、ヴェネツィア政府は、コルフ島の施政官《プロヴェディトーレ》に、セバスティアーノ・ヴェニエルを選出した。

プロヴェディトーレというのはヴェネツィア共和国独得といってもよい官名だが、

この場合は、民政を担当する総督《ゴヴェルナトーレ》と並び、軍事に関するすべての面での最高責任者を指す。コルフがヴェネツィアの最重要基地でもあることから、この島担当の施政官の選出も、大使選出と同程度の重要性をもつと考えられていた。

密命をおびてヴェネツィアを発つバルバリーゴに与えられた官名もプロヴェディトーレだが、こちらのほうは語源に忠実に、視察官とか監察官とか訳したほうがわかりやすいと思う。要するに、臨戦態勢に入ったヴェネツィアの海外重要基地を巡回し、応戦の準備の実情を視察するのが任務であったと思われる。ただ、トルコ側をいたずらに刺激しないために、公式の選出でなく、非公式の任命のほうを選んだのにちがいない。

ただ単に視察官というだけのバルバリーゴは、任務に向うコルフの施政官ヴェニエルの乗船用として用意された快速船に乗船することになった。これも、十人委員会が決めたことだった。

セバスティアーノ・ヴェニエルとは、初対面の仲ではない。六年前にヴェネツィア共和国とオーストリアのハプスブルク王朝との間に起った国境紛争の際に、それを解決するための会議で同席したことがある。ただ、首席代表だったヴェニエルに比べれば、バルバリーゴは、代表団の末席に近かった。

そのときすでに、評判だったヴェニエルの火を吹くような気質に間近に接している。七十四歳を迎えながら激しい気質はいっこうに衰えないこの男を、この時期のコルフの守りの最高責任者に選出したということ自体、トルコに対して立ちあがらざるをえないと判断したヴェネツィア共和国の、意思表示の一つでもあった。

三月、コルフ島にヴェニエルを残したバルバリーゴは、別のガレー船でクレタへ向う。クレタ島の北岸に数珠《じゅず》つなぎのように並ぶ、西からカネア、スーダ、レティモ、首都のカンディア、そして海中に孤立した砦《とりで》だけに難攻不落と評判の高いスピナロンガの各基地を、詳細に視察するのが目的だった。

トルコは、今のところはクレタ攻略までは匂《にお》わせていないが、あの国はスルタンの一言で決まる国である。クレタ島の重要度を考えれば、防衛準備をおろそかにすることは許されなかった。

セバスティアーノ・ヴェニエルが元老院議場でした演説中の定義だが、ヴェネツィア共和国にとっての海外基地のもつ価値は、当時のヴェネツィア人からは次のように考えられていた。

コルフ島は、われわれの海の玄関口。

ザンテの島は、東地中海航路のすべての船に開かれた港。
キプロス島は、ヴェネツィアの輸出品目中重要な塩の産出地であり、同じく輸出品の上等な葡萄酒《ぶどうしゅ》と綿花を産し、わが国の国境線に等し。
そして、クレタは、東地中海域における最大最重要の基地。その重要度、他とは比較も不可。

このクレタで、バルバリーゴは旧知のアントニオ・ダ・カナーレと再会した。カナーレ家も、バルバリーゴ家と同じくらい古い家柄《いえがら》を誇るヴェネツィアの貴族だが、この男には、まったくそのようなところがうかがえない。バルバリーゴは、肉体的にも立居振舞いにも、品格の高い優雅を感じさせないではおかないが、彼と同年輩のカナーレのほうは、肥え気味の大男で、その態度となると、船乗りの中に混じっていたほうが自然に見える。しかし、気質は、支配階級に属す者の義務感にあふれていて、当時のヴェネツィア貴族には共通のタイプであった。

ただ、この男は、指揮官なのに戦闘中でも甲冑《かっちゅう》をつけないことで珍らしい存在だった。鋼鉄製の甲冑に頭から足のつま先までおおわれていては、安全かもしれないが動きが不自由でいけない、と言うのである。それで、中に綿をつめて縫いこんだ白いキルティングの布地で、現代から思えばスキー服のような形の、頭巾《ずきん》つきの足許《あしもと》までとどく服を特別につくらせ、これで戦闘にのぞむのを常としていた。暗い色の多い服の兵士たちに混じると、まるで巨大な白熊《しろくま》のように見える。このかっこうで先頭に立って闘うものだから、いやでも目立ってしまうのだ。敵のトルコ兵たちは、モンゴルの白熊と呼んで彼を怖《おそ》れた。この異彩を放つ戦闘服は、戦いが終るたびに、返り血で真赤に汚れるのだった。

旧友カナーレの提供したガレー船で、バルバリーゴはキプロスへ向った。護衛用のガレー船二隻《せき》を従えての航海である。クレタ島近海を過ぎれば敵の海に入るからで、キプロスは、いわば敵中に浮ぶ基地でもあった。

クレタからキプロスへ向う海域にあるロードス島は、一五二二年以来トルコ領になっている。それに、地中海の東岸にくっつくように浮ぶ島キプロスからは、追い風に恵まれれば一夜の航行で、トルコ領である小アジアの南端についてしまうのだ。

バルバリーゴを乗せた船は、西からの順風に恵まれ、幸い敵船にも出会わずに東に向っていた。櫂《かい》の助けも必要としないくらいだった。ただ、全速で進むときのガレー船は、三角の帆にいっぱいの風をはらんでの航行だけに、船は右か左かの一方に、倒れんばかりにかしいだ形で進む。船室では、眠るのも楽ではない。しばらくは眠ったと思うバルバリーゴは、木製の固い寝台のはしに押しつけられた苦しさで眼を覚ました。上にかけてあった掛け布は、身体《からだ》の下に巻きこまれてしまっている。それを引きだそうとした彼は、手にふれたやわらかい感触から、突然に女を思いだしていた。

フローラと彼の間に、十五年の年齢の差があると知った夜のことだった。そして、これまでも幾度か、彼と女は、近くにいたことがあったともわかったのだ。二十歳だった彼は、使節として派遣された父に従《つ》いて、フィレンツェに行ったことがある。あの街の、しかもバルバリーゴ父子が宿泊した家と同じ通りにある家に、五歳のフローラが住んでいたのだった。

それから十五年の後、スペイン王フェリペ二世の即位式に列席するヴェネツィア特使団の一員として、三十五歳のバルバリーゴはマドリードを訪れた。実に偶然にも、フローラも当時、マドリードにいたのである。一人娘をことのほか愛していた彼女の父親は、商用の旅なのに娘を同行したのだった。娘を手放す気になれず数々の結婚話を断わりつづけてきた父親も、ついにその熱心さに折れることになるヴェネツィア貴族との結婚話が起るのは、このときのマドリード旅行から帰った直後のことだった。

女は、男の腕の中で深いため息をつきながら、神さまはなぜ今まで、わたしたちを会わせてくれなかったのでしょう、と言った。男は、二人がお互いに必要とするようになるまで待っていたのだろう、と答えた。女はそれに、不満そうに重ねて、それならばマドリードで会わせてくれていたら結婚できていたのに、とつぶやいた。男は、微笑しただけでなにも言わなかった。女の髪をやさしく愛撫《あいぶ》しただけだった。

いったん思いだすと、周囲にあるなにもかもが、フローラへの想《おも》いとつながってしまうのだった。水しぶきが口に入ると、泣き笑いする女の頰《ほお》をつたわる涙を、口づけで吸いとってやった夜を思いだした。女は、あの夜、愛しているわ、あなた、と言ったのだ。男は、愛撫の後で放心したようにつぶやく女のこの言葉を耳にするたびに、愛《いと》しさが増すのだった。

キプロス到着後に待っていた任務は、困難ではなかったが、気が重くなる性質のものだった。彼が、半年前の帰任時にした報告の内容から、キプロスの現状は少しも改善されていなかった。ヴェネツィア政府は、抜本的な手はなにひとつ打たなかったということである。

キプロス島は、シチリア、サルデーニャに次ぐ、地中海では三番目に大きな島である。クレタのほうが大きいように思えるが、キプロスは内陸部が深い。ヴェネツィア共和国のように、拠点基地確保だけが目的で領土的野心のない国家には、防衛策を徹底できない欠陥をもつ植民地であった。

しかも、島の内陸部に位置する首都ニコシアは、平野の中の町で、大軍を投入しての包囲戦術が得意のトルコ相手では、防衛上の不利はおおいがたい。また、ヴェネツィア本国からの救援を受けいれる諸港は、ニコシアからは遠く離れた海岸に点在している。キプロス最大で最強の砦でもあるファマゴスタの港にいたっては、ニコシアからは五十キロも離れている。首都とこの主港との間には、綿花を栽培する平野がつづくだけだった。

このキプロスに、防衛戦力は五千足らずしか駐屯《ちゆうとん》していなかった。トルコとヴェネツィアの間には、三十年の平和があったということはいえる。また、ヴェネツィアには人的資源が不足しているという理由で、弁解できないこともない。だが、人間の数が不足がちであったのは、今にはじまったことではないのだ。とはいえ、これまではこの程度の防衛力でも充分であったということは、十五世紀半ばまでは、量は少なくとも質さえ確保すれば、相当な程度の効力を発揮できた時代であったということでもあった。

しかし、時代のほうが変ったのだ。一五七〇年の当時、敵は、量で攻めてくるトルコである。小さな島でしかないロードス島の攻略でさえ、常時十万の兵を送った国であった。ロードスよりはずっと大きく、ために兵糧《ひょうろう》確保にもよほど容易なキプロスには、コンスタンティノープルからは遠いという条件を考慮しても、あのトルコが、十万を切る兵力で攻めてくるはずがない。

そして、住民はギリシア正教徒だった。コンスタンティノープルをはじめとするトルコ支配下のギリシア住民の多い国々で、トルコの支配に従順でさえあれば信教の自由を保証される事実は知っている。ヴェネツィアの商業基地であるほうが、トルコの領土になるよりもキプロスの特色が生かせ、それによって経済的にもキプロスは潤《うるお》うのだという現実を、理解できる住民は少ない。この島の防衛に、キプロス原住の人々の支援をあてにすることはできなかった。

アゴスティーノ・バルバリーゴがヴェネツィアに帰国したのは、四月も半ば近くになってからだった。その彼の眼《め》にしたヴェネツィアは、戦争一色に染まった感じだった。

三月十七日、正装に威儀を正した元首を先頭に、聖《サン》マルコ寺院では、対トルコ戦勝を神に願うミサが行なわれていた。ヴェネツィアにとっては、これが正式の宣戦布告でもあったのである。

同じ時期、対トルコを目的とした統一戦線結成の必要を説く公式の使節を、ローマにいる法王ピオ五世の許に派遣している。これを受けた法王からは、これまた公式の使節が、スペイン王フェリペ二世の許へ、参加要請のために送られていた。

そして、ヴェネツィア自体も、もはや誰《だれ》の眼もはばかることなく、臨戦態勢に突入していた。

三月三十日、六十隻のガレー軍船からなる艦隊が、キプロス救援を目的に、聖《サン》マルコの船着場を後にしていた。「海の総司令官《カピターノ・ジェネラーレ・ダ・マール》」に選ばれた、ジロラモ・ザーネが指揮する。ヴェネツィアが国をあげて臨戦態勢に入ったという、なによりの意思表示であった。

バルバリーゴも、アドリア海を北に向けて帰国の途中に、この艦隊とすれちがったのだが、ダルマツィア地方最大のヴェネツィア基地、ザーラに寄港するということだった。

「海の総司令官」が登場した以上、コルフを守るセバスティアーノ・ヴェニエルも、クレタを守るマルコ・クィリーニとアントニオ・ダ・カナーレも、そしてキプロスを守るマーカントニオ・ブラガディンも、「海の総司令官」ザーネの指揮下に入ることになったのである。

帰国したバルバリーゴは、報告のための「十人委員会」通いが数日つづいた後、以前の造船所勤務にもどった。フローラは、その名のように春の花を思わせる、輝やくような喜びと微笑いっぱいに彼を迎えた。

しかし、春は、コンスタンティノープルではヴェネツィアよりも遅く訪れる。大使バルバロは、一ヵ月前に受けた十人委員会からの極秘の指令によって、大使の通常の任務以上の仕事をかかえ、ボスフォロス海峡を伝わってくる黒海からの北風が、常よりは身にしみる毎日をおくっていた。

十人委員会は、バルバロに、宣戦布告とは別に、トルコとの和平関係存続へのあらゆる手段を探られたし、と命じてきたのである。この密命は、ヴェネツィア元老院がトルコの要求を断固拒絶した日の、わずか一日後に書かれたものであった。

ヴェネツィア共和国御家芸《おいえげい》の、和戦双方にかけたいつものやり方なので驚くまでもなかったが、この任務を実際に遂行する者にとっては、容易どころの話ではない。和平の気持を強く出せば、相手はこちらを軟弱と見る。だが、手段を探りつづけねばならないのだ。トルコ側に弱点をにぎられないように注意しながら、つまりヴェネツィアの断固とした政治姿勢は示しながら、打診も怠ってはならないのだった。しかも、理《ことわり》の通ずる相手だった宰相ソコーリは、今では完全に少数派だ。といって宰相が交代したわけでもないので、バルバロの交渉相手は宰相になるよりしかたがなかった。

この現状下で任務を遂行しつづけるとなると、交渉は秘密の回路を使うしかない。バルバロの眼は、このような場合も起りうるかと考えて用意しておいた一人物の上にとまった。

アシュケナージという名のユダヤ人の医者は、宰相の妻の主治医であったが、いつのまにか、ヴェネツィア大使の主治医にもなっていた男だった。バルバロは、この男を呼ぶことにする。それも、ほとんど毎日のように。大使バルバロの装った仮病は、下痢《げり》だった。

ローマ――一五七〇年・春

ほんとうに下痢《げり》を起しても誰《だれ》も疑わなかったであろうヴェネツィアの外交官が、マーカントニオ・バルバロの他《ほか》に、確実にもう一人いた。

名を、ジョヴァンニ・ソランツォという。ヴェネツィアでは名だたる名家、ソランツォ家の一員だった。ちなみに、バルバリーゴもバルバロも、カナーレもヴェニエルも、いずれも当時でさえ四百年はつづいてきた貴族である。これらの姓は、ヴェネツィア内にとどまらず、ヨーロッパ各国の宮廷でも紹介の必要のない姓であった。

ソランツォ家も、数多く高官を出してきた家だが、その一人で十六世紀はじめの人フランチェスコ・ソランツォは、次のようなことを言っている。

「強国とは、戦争も平和も、思いのままになる国家のことであります。わがヴェネツィア共和国は、もはや、このような立場にないことを認めるしかありません」

名はちがっても姓はソランツォであるジョヴァンニが、特命全権大使としてローマに派遣された目的は、右の一句に示されているといってよかった。一日一隻《せき》のガレー船進水の能力はあっても、十六世紀に入ってからのヴェネツィア共和国は、一国だけでは、トルコに対抗不可能になっていたからである。

この重要な任務に、ヴェネツィア政府が、常駐の大使だけでは安心せず、特命の全権大使までおくった理由もこれにあった。そして、ヴェネツィアの巧妙なところは、コンスタンティノープル駐在大使バルバロには与えた和平への道も探れという密命を、ローマに派遣したソランツォには知らせなかったことである。だが、知らなかったのは、彼一人ではなかった。

ジョヴァンニ・ソランツォの年齢がはっきりしない。だが、彼の以前の経歴と以後のそれを見れば、五十代であったかと思われる。成熟に達した男のすべてを投入して、彼は、ローマ法王懐柔に専念することになった。

ピオ五世は、四年前の一五六六年から、ローマ法王の玉座に坐《すわ》っていた。この年、六十六歳になっている。

法王ピオ五世の即位は、拍手喝采《かっさい》で迎えられたわけではなかった。しかも、その後の四年間も、人々は怖《おそ》れと疑いの眼《め》を向けることをやめようとしなかった。

この人物は、法王に選出されるまでの三十年間、異端裁判所の判事をつとめていたのである。しかも、最後の十年近くは、この方面の最高責任者であったのだ。ローマのカトリック教会が禁書に指定した書物を売っていたという一事で、その書店主は訴えられ、過酷な刑務所ぐらしを強《し》いられていたが、多くの書物の中からこの一冊を見つけたのが、枢機卿《すうきけい》時代の彼だった。

スコットランド女王のメアリー・スチュアートを捕えたイギリス女王エリザベス一世を公然と非難したのも彼だったし、フランスで発生中の新旧両派の宗教と権力の抗争にも、カトリーヌ・ド・メディシスの肩をもつことを隠さなかった。ドイツのプロテスタント派の君主たちもオランダの市民階級も、ピオ五世は同じ理由で憎悪《ぞうお》し、それを公然と口にするのをはばからなかった。

この法王は、プロテスタント派に反旗をひるがえされて久しいカトリック教会再建には、厳格なやり方しかないと信じていた。カトリックの再建策を討議した、トレントの宗教会議が終って幾年もたっていない。世は、イエズス会を先頭にした、反動宗教改革の真只中《まつただなか》にあったのだ。ドメニコ派に属したピオ五世も、あらゆる点で、反動宗教改革の申し子だった。

人々が、とくに理性を尊ぶことでは伝統のあるイタリア人が、この法王を疑い怖れたのは、ローマの法王庁そのものが異端裁判所になるのではないかと、心配したからである。だが、今までのところは、法王はカトリック教会に忠実でない王侯たちを非難するのに忙しく、また、本来の他者への寛容の精神は失ってはいないイタリアでは、他のヨーロッパ諸国を荒らしまわっていた残酷な拷問《ごうもん》をともなわずにはいない異端裁判と、生きたままの火あぶりという非人道的な荒業にまでは見舞われないですんでいたのであった。

この法王ピオ五世くらい、信教と言論の自由ということでは当時のヨーロッパで最も寛大であったヴェネツィア共和国と、肌《はだ》の合わない人物もいなかったであろう。しかし、ヴェネツィアは、他のキリスト教国を必要としていた。そして、ピオ五世は、異教徒と異端を撲滅《ぼくめつ》するまではと、肉食を断ち卵しかとらないと誓った人物でもあったのである。

ただし、ヴェネツィアのピオ五世懐柔策は、簡単とはまったく反対のものだった。狂信的なカトリック教徒であるピオ五世が、異教徒と交易することによって強大になったヴェネツィアを、心の底では憎悪していることは知っている。その法王に、ヴエネツィアが、オリエントでの商業基地キプロスが危いと訴えても、効果のほどは疑わしい。また、法王を懐柔するのはスペイン王を動かす手段でもあったから、地中海でのヴェネツィア勢力を快く思っていないスペイン王にしてみれば、キプロスがトルコに奪われようと、心中では、嘆くよりも喜ぶ確率のほうが高いのだ。

それで、ヴェネツィアのとった策は、卵しか食しない法王の、十字軍精神をあおることだった。ただ、これはあくまでも、ピオ五世自身の自発的な信念と、法王自らも思い、各国の王侯にも思わせなければならない。このためには、特命全権大使ソランツォも、ヴェネツィア本国の十人委員会も、法王ピオ五世の十字軍結成の呼びかけに、喜色をあらわにして応ずることはしなかったし、またしばしば、法王の意を逆なでするような言動さえしたのであった。対イスラムの十字軍は、表面上はあくまでも、法王の主導で結成されねばならなかったのだ。それでなければ、効果も期待できなかった。

法王ピオ五世は、これに完全に乗った。

背の高い痩《や》せぎすの身体《からだ》の、どこにこれほどの情熱が隠されていたのかと思うほど、法王は積極的に変った。言を左右にして確答を与えようとしないスペインのフェリペ二世の許《もと》へ、つづけざまに特使がローマを発《た》つ。スペイン王が少しでも言質《げんち》を与えるようなことを口にすれば、ピオ五世はただちに追い討ちをかけて、それを既成の事実にしてしまうのだ。

ヴェネツィア共和国も、彼をしばしば怒らせた。だが、法王は、怒れば怒るほど、ますます対トルコの連合艦隊結成に熱意を燃やすようになるのだった。

しかし、ヴェネツィアはやはりあせっていた。キプロスの運命も風前の灯《ともしび》という現実が、彼らに周到さを忘れさせてしまったのだ。キリスト教諸国の連合艦隊のより早い結成を願うあまり、自国の艦隊の構成にさえ、万全を期すことを怠ったのである。急ごしらえの感じで調印された一五七〇年の連合艦隊は、寄せ集め、それも確とした方策もなく現にあるものを寄せ集めたにすぎないことが、陸海を問わず戦争というものを少しは知った人ならば、簡単にわかる程度のものであったにちがいない。だが、ことを急ぐ必要だけは、誰の眼にも明らかだった。

エーゲ海――一五七〇年・夏

三十年におよんだトルコとの平和は、やはり、ヴェネツィア政府の臨機応変の能力を鈍らせたようである。平和は終ったのだということを人々に悟らせること自体、まずむずかしい。

また、この時期は、ヴェネツィア共和国の政府の支柱とも言ってよい元首《ドージェ》が交代する時期と一致してしまった。

ヴェネツィアでは元首だけが終身職だから、死ななければ交代はない。いかに敏速に新元首を選出しようと、前元首の発病から死、そして新元首の選出までの期間は、内閣不在と同じことになる。新元首に選出されたモチェニーゴは、対トルコの強硬派であったから、就任後の行動は早かったが、それでも空白期間は存在した。トルコは、この機を利用したのである。

そして、一五七〇年の連合艦隊が不発に終った最大の原因は、連合艦隊の主要構成国、といってもスペインとヴェネツィアにすぎないのだが、この主要構成国間に、少しも意見の一致が見られないままにスタートしてしまったことにあった。

スペイン王フェリペ二世は、法王ピオ五世のような狂信の徒ではない。この年の連合艦隊結成の直接の引き金が、トルコによるキプロス攻略に対するものであることを知っている。だが、彼は、「カトリック王」という尊称を代々受け継ぐスペインの王である。ローマ法王の要請を無視することは、カトリック王にとっては利口なやり方ではなかった。

フェリペ二世は、法王の要請は受けた。だが、スペイン海軍を指揮させていたジェノヴァ人のジャンアンドレア・ドーリアには、ヴェネツィアの利になるような戦闘はしてはならぬという、密命を与えていたのである。

ヴェネツィアも、これを、確認こそしていなかったが予測はしていた。それで、連合艦隊の総司令官にドーリアを推選してきたスペインに、断固反対したのである。ドーリアは、傭兵《ようへい》隊長だ。「地中海の鮫《さめ》」と綽名《あだな》された高名な傭兵隊長だった伯父アンドレア・ドーリアはすでに亡《な》かったが、ジェノヴァのドーリア一族といえば、船も乗組員もふくめて傭《やと》われて闘う、海の傭兵一族として有名だった。

アンドレア・ドーリアの時代は、まずはじめに法王庁に傭われ、次いでフランス王の下で働き、その後当時でもスキャンダル視されたほどの大胆さで、フランス王の仇《きゅう》敵《てき》であるスペイン王に鞍替《くらが》えしていた。甥《おい》のジャンアンドレアの時代になっても、そのままスペイン王が傭い主でつづいている。もともとが金で動くのが、傭兵隊長なのだ。スペイン王の真意を疑うヴェネツィアが、このような人物に、自国の海軍までまかせる気になれないのも当然だった。陸軍は傭兵に頼っても、海軍は自国民でかためるヴェネツィアと、同じイタリア語を話すといっても、当時のジェノヴァは、正反対と言ってよいくらいにちがっていたのである。

しかも、ヴェネツィアは、連合艦隊の半ばを占めるほどの軍勢を提供している。ヴェネツィアは、その総司令官に、ヴェネツィアの海将を主張した。だが、これは、スペイン王が受けいれなかった。

妥協案は、ローマの法王から出された。総司令官には、法王庁海軍を指揮するマーカントニオ・コロンナを任命しよう、というのである。だが、これには、スペインもヴェネツィアも頭をたてにふらなかった。海上の戦闘の経験のないコロンナに総指揮をまかせるのは、誰《だれ》にでも危険に思えたからだ。しかし、キリスト教側の不協和音にかかわらず、状況はさし迫る一方だった。

七月、トルコは、三百隻《せき》の船に十万の兵を満載して、キプロスの南岸に上陸した。ヴェネツィア側の守りのかたい北岸は、後まわしのつもりであったのだろう。南岸には、商船寄港用の港がいくつかと、ヴェネツィア人の経営になる塩田がはてしなくつづくだけである。上陸作戦は簡単に終った。

その後トルコ軍は、一路北上し、首都ニコシアを囲んだ。ニコシアには、ヴェネツィア本国からのわずかの救援部隊を加えても、三千人余りの戦闘員がこもるだけだった。ヴェネツィア政府は、危機が確実になっても、キプロス全土の防衛に、四千の兵しか送っていなかったのである。

トルコ、キプロス上陸の報を受けたキリスト教諸国は、総司令官をひとまずコロンナにすることだけを決めて、各国の艦隊に、集結地のクレタ島のスーダの港に向うよう指令を発した。

一五七〇年という年は、ヴェネツィアにとっては不幸ばかりが重なった年であった。トルコの宣戦を受けて立つと決めた一ヵ月後の三月末、「海の総司令官」に選出したジロラモ・ザーネにひきいさせた六十隻の軍船からなる艦隊を、キプロス救援ということで送りだしている。ところが、この艦隊は、四月半ばにザーラに寄港したのだが、その後この港町に、二ヵ月も釘《くぎ》づけになってしまったのだった。アドリア海を三分の一しか南下していないザーラに、キプロスへ向うはずの艦隊が二ヵ月もとどまっていたのは、船乗りや戦闘員たちを、猛烈な疫病《えきびょう》が襲ったからである。戦いに向う男たちが、国を出てまだわずかしか来ていない地で、次々と倒れていった。

疫病の勢いがおさまった二ヵ月後、艦隊はザーラを後にし、次の寄港予定地であったコルフ島に向った。コルフより発せられた総指令官ザーネの本国への報告書の日附《ひづ》けは、七月五日である。キプロスでは、トルコ軍の上陸がはじまった五日後だった。

このコルフで、ヴェネツィア艦隊は、連合艦隊結成のため集結地のクレタへ向うようにとの本国政府からの指令を受けとる。クレタへは、南イタリアの港オートラントでおち合う予定の、法王庁とスペインの艦隊も来るはずであった。

ところが、ほとんど無きに等しい艦隊ながら、それでも数隻はひきいてオートラントに向った法王庁艦隊のコロンナだが、オートラント到着後何日待っても、スペイン艦隊をひきいて来るはずのドーリアが姿をあらわさない。数日の航程のメッシーナにいるのに、来ないのである。フェリペ二世からの出陣命令を受けていない、という理由からだった。

疫病で兵を多く失ったが、それでもコルフやクレタの造船所で進水した船もふくめて、百三十隻のガレー軍船からなるヴェネツィア艦隊は、集結地と決まったクレタ島のスーダの軍港で、八月四日にはすでに、いつ出陣してもよい状態で待機していた。キプロスで激戦が展開中であることは、誰でも想像できる。それなのに、コロンナもドーリアも姿を見せない。真夏の暑さは、疫病で弱った兵たちには残酷だった。疫病再発の怖《おそ》れもあって、ヴェネツィアの指揮官たちはいらいらしながら待った。

八月十九日になって、ようやくドーリアが、オートラントに到着した。待ちかねていたコロンナにせかされ、それでもクレタへ向けて出港はする。だが、ドーリアのひきいてきたのは、スペイン艦隊と呼ぶのがはばかられるようなもので、傭兵隊長ドーリアの自前の船と船乗りと兵だけだった。この法王・スペイン艦隊がスーダに入港したのは、八月の三十一日になってからである。だが、ようやくにしろ集結を終った連合艦隊は、ただちに東へ向けて錨《いかり》をあげ、キプロス救援に駆けつけたわけではまったくなかった。

スーダの港に停泊するコロンナの船上で開かれる作戦会議が、いっこうに結論を出せないのだ。明らかにドーリアが、引きのばしを策していたからだった。

彼はまず、ヴェネツィア船の戦闘員が少なすぎる、と文句を言った。ガレー軍船には船乗りと漕ぎ手《こ て》の他《ほか》に、戦闘要員として、海兵と呼んでもよい兵たちが乗りこんでいる。その年のヴェネツィア艦隊は、疫病に襲われたのがたたって、通常は六十人のところが、二十人しか乗っていない船もあった。

ヴェネツィア側は、ヴェネツィア船の漕ぎ手は自由民だから、戦闘要員に転化しうると言って反論した。だが、二十人はなんといっても少ない。ヴェネツィア側もクレタ島の住民を募集して補強策に懸命なのだが、ドーリアの船は海戦を職業としているだけに、百人もの戦闘員を乗せていた。比較すれば、差は明白だ。

しかし、ヴェネツィアの海将たちも言いまかされはしなかった。百三十隻ものガレー軍船に十二隻を数える「ガレアッツァ」を提供しているのは、ヴェネツィアなのである。

だが、いったん折れたかに見えたドーリアは、別の不利を言いたてる。今度は、これから戦闘の場に出向くのでは時期が遅すぎる、というのだった。いまだ季節は、九月の半ばにも達していなかった。

このような場合、総司令官の断固とした決意だけが、立ちすくみの状態から解放できるのである。だが、総司令官ということになっているコロンナは、人柄《ひとがら》がおだやかで調整役には適しているのだが、その方面の気質はもちあわせていない。また、自分が直接に動かせる戦力を充分にもっていない総司令官に、断固とした決意を期待するほうが無理だった。

コロンナには、出陣する気持はあったのだ。それで、彼独得の調停で日数は無駄《むだ》にはしたが、ひとまず東へ向うということでは、ドーリアの説得に成功した。

総勢百八十隻のガレー軍船と十二隻のガレアッツァ、それに輸送船三十隻を加えた一五七〇年の連合艦隊は、九月十八日、クレタ島のスーダを後にした。一路、東へ向う。しかし、そのときはすでに、キプロス島の首都ニコシアは、十万の兵と六十門の大砲を全身に浴びて陥落していたのである。

連合艦隊がニコシア陥落を知ったのは、キプロスまでの航程の二分の一を消化した海上でだった。九月八日、連合艦隊がクレタを発《た》つ十日も前に、三千の防衛兵がほぼ全滅の状態で、ニコシアは陥《お》ちていたのだ。防衛軍を指揮していたヴェネツィアの貴族たちは、全員が戦死した。

そして、首都を陥としたトルコ軍は、東に向きを変え、キプロス最強の砦《とりで》とされていた、ファマゴスタの港の包囲戦に入ったということだった。ファマゴスタが陥落すれば、キプロス全土は完全に敵の手中におちる。ファマゴスタでは、ブラガディン以下のヴェネツィア貴族たちが、防戦に必死であるにちがいなかった。ブラガディンの指揮する防衛軍は、ここでも五千を数えるにすぎない。港の背後を守る城塞《じょうさい》の堅固さは、コルフやクレタと並ぶと評判だったが、五千と十万では、援軍の到着だけが頼りになる。しかし、キプロスへ向いつつあった連合艦隊では、またも構成国間の意見が一致しなかった。

スペインを代表するドーリアは、もはや行くのも無駄と、艦隊の引き返しを主張する。ヴェネツィアの諸将の考えは、もちろん続行だ。コロンナも、続行派だった。

だが、そんなことを言い合っているうちに、海上の天候が変った。猛烈な暴風雨が襲ってきたのだ。ドーリアは勢いづいた。これには、海上での嵐《あらし》に慣れていないコロンナも浮足立ってくる。

状況の変化に気づいたヴェネツィア艦隊の総司令官ザーネは、妥協案を提出した。キプロス救援はひとまず断念し、このままエーゲ海を北上して、つまり艦隊を嵐から避けさせ、ネグロポンテかコンスタンティノープルに攻めこもう、というのである。これには、コロンナは賛成したが、ドーリアは反対した。

そうこうするうちに、嵐はますますひどくなる。日数は、日一日と無駄を重ねる。九月二十四日、百九十隻の軍船からなる連合艦隊は、ついに西へ引き返すと決めた。キプロス近海にいたトルコ艦隊は、偵察《ていさつ》に行ったヴェネツィア船によれば、百六十五隻しかいなかったのである。あくまでもキプロス救援を主張したのは、いずれもヴェネツィア人のヴェニエル、クィリーニ、カナーレの諸将だった。セバスティアーノ・ヴェニエルは、コルフ島施政官の身分で、艦隊の一翼を指揮していたのだった。

しかし、ヴェネツィア海軍の総司令官は、ジロラモ・ザーネである。そして、ザーネこそ、キプロス救援からコンスタンティノープル攻め、はては引き返し、と考えが二転三転した当の人だった。

ザーネは、クレタ防衛の指揮官でもあるマルコ・クィリーニに、クレタ島配属分のガレー軍船と二千五百の兵をつけて、キプロス救援に向わせる。そして、自分は、それ以外の船をひきいて、まずクレタへ、そしてコルフへと引きあげることになった。ただ、クィリーニ指揮の救援船隊も、キプロス近海まで来たところで、海賊ウルグ・アリの船隊に行方をはばまれ、結局、キプロスの土にはふれもできずに引き返してくるしかなかった。ファマゴスタは、見離されたのである。

そして、クレタ、コルフと引き返しつつあったヴェネツィア艦隊の本隊も、退路は困難をきわめた。暴風雨にもまれつづけた艦隊がコルフの港にたどり着いたとき、船の傷《いた》みようが島民を驚かせたほどだった。それでも、帰港できた船はまだよかった。相当数のガレー船が、行方知れずになっていた。

コロンナやドーリアのひきいる艦隊は、シチリアのメッシーナに向っていた。こちらもひどい嵐に苦しまされた後、秋も深くなったメッシーナに帰港する。このような悪天候の下でも一隻も失わずに出港地にもどったのは、さすがに海を職場とする、ドーリア自前の艦隊だけだった。

一五七〇年の連合艦隊は、このようにして、一戦も交じえずに解散したのである。キプロスのファマゴスタでは、近づく冬に少しはゆるまったトルコ軍の攻勢に、籠城《ろうじよう》の人々が、ほっと一息つける季節に入っていた。

ヴェネツィア——一五七一年・春

ヴェネツィアの特命全権大使ソランツォは、今年こそ正念場の想《おも》いだった。神聖同盟と名づけられた法王主唱の対トルコ連合艦隊は、年が替わっても目標を達成しないかぎり存続するということにはなっていたが、それも、スペイン王の出方ひとつにかかっている。そのスペイン王を同じ土俵に引き出せるのは、ローマの法王しかいなかった。ファマゴスタがもちこたえている間に、今年こそ完璧《かんぺき》な形で、連合艦隊の出陣を実現させねばならなかった。執拗《しつよう》な法王説得作戦が再開された。今年は、特命全権大使は、はじめから手もちのカードを全部広げた。

ソランツォの祖国ヴェネツィアも、背水の陣をしく想いでは同じだった。前年の総司令官ジロラモ・ザーネは解任され、総司令官の職務の履行に問題がなかったかどうかを裁くために、本国帰還を命ぜられる。ザーネに代わる「海の総司令官」には、コルフの施政官セバスティアーノ・ヴェニエルが選ばれた。

そして、前年のヴェネツィア海軍にはなかった新しいポストが、一つつけ加えられた。総司令官ヴェニエルのすぐ次を襲う地位で、プロヴェディトーレ・ジェネラーレという官名だ。この場合は、参謀長とも総司令官次席とも副司令官とも訳せるが、要は、常に総司令官のかたわらにあり、ヴェニエルになにか起ればただちに代わりをつとめねばならない地位であった。

この地位を占める人物に、ヴェネツィア元老院は、アゴスティーノ・バルバリーゴを選出する。

この選出には、深い意味があった。

「海の総司令官」に次ぐのだから、海将としての経歴が長く才能も優れている者がよいに決まっている。それには、一五七一年当時のヴェネツィア海軍には、適任者が二人はいた。クレタ島海軍基地の司令官とその副官の二人で、マルコ・クィリーニとアントニオ・ダ・カナーレである。二人とも、陸上にあるよりも海の上にいるほうが長いと言ってもよいほどの、生粋《きっすい》の海の男だった。年齢も、一人はバルバリーゴより五歳年長、もう一人は同年輩になる。だが、ヴェネツィアの元老院は、この二人をバルバリーゴの次にくる地位である参謀《プロヴェディトーレ》に選出したのである。

これは、ヴェニエルを総司令官に選んでいなければ、なされなかった選択かもしれなかった。

セバスティアーノ・ヴェニエルは、その年、七十五歳になっていた。だが、七十五歳の年齢を心配させるものは、この男にはまったくなかった。

背はとびぬけて高く、動きは若い頃《ころ》ほどではないにしても、危気《あぶなげ》なところは少しもない。肉はひきしまっており、禿《は》げあがった頭髪も顔の半分をおおうひげも真白だが、赤味をおびた肌《はだ》はまだ充分に若く、鋭い眼光は人を射すくめるようで、肉体からして指導者の格を感じさせた。

一年足らずの期間のコルフ駐在中に、エーゲ海域勤務のヴェネツィアの船乗りたちの心を完全につかんでしまい、彼らから敬愛をこめて、「メッセール・バスティアン」という綽名《あだな》をたてまつられる始末。ミスター砦《とりで》、という意味である。

ただし、セバスティアーノ・ヴェニエルは、大変に怒りっぽい男だった。すぐに機《き》嫌《げん》をなおす乾性の怒りなのだが、爆発してしまったら制御がきかない。

ヴェネツィア海軍を代表する総司令官には、軍事上の指揮にとどまらず、政治的な才能も要求される。しかも、他のキリスト教諸国との同盟を基盤にした連合艦隊の場合、この面での能力はとくに必要とされた。

かといって、前年の失敗を思えば、今年のヴェネツィア海軍の統率者には、断固とした意志とそれを強引に実行する性格がなによりも要求される。ヴェネツィアの元老院は、ヴェニエルを総司令官にするには異議はなかったが、この「火」の男だけでは心配もあったのだ。それで、「火」の男のかたわらに、「水」の男を配することにしたのである。

海戦の経験が他者よりもずばぬけて多いわけでもなく、また、これまでの戦績が目立って輝やかしいわけでもなかったバルバリーゴが抜擢《ばってき》された理由は、これにあったのである。ただ、アゴスティーノ・バルバリーゴは、単なる「水」の男ではなかった。そして、元老院の議員たちも、選挙に加わった六人の元首補佐官も、元首モチェニーゴも、そのことは充分に知っていた。

一五七一年一月、聖《サン》マルコの船着場から、バルバリーゴは祖国を後にした。全身を「ヴェネツィアの真紅」と呼ばれる色に塗られた旗艦に乗っての出港である。いざとなれば総司令官に代わらねばならない参謀長は、旗艦に乗る権利をもっていた。また、前日に聖《サン》マルコ寺院で特別にあげられたミサで聖別された、真紅の地に金糸で聖《サン》マルコの獅子《しし》を縫いとりした、ヴェネツィア共和国の国旗ものせての出陣である。

旗艦用は少し大きめなのだが、これらの国旗は、戦場では船尾にある船橋の上にひるがえる軍旗になるのだ。共和制をとるヴェネツィアでは、艦隊を構成する各軍船は、それを指揮する艦長の紋章旗をかかげることを許さない。他国の船ならば、乗船している貴族の紋章旗が色とりどりにひるがえるところなのだが、ヴェネツィア船だけは、個人はなく、ヴェネツィア共和国だけがあるのだった。

これらの国旗の他《ほか》には、元首が自ら手渡した元帥杖《げんすいじょう》も同時に発つ。コルフ島にいるヴェニエルに渡されるものだった。

真紅に塗られた旗艦は、もう一隻《せき》が同行する。これも、総司令官ヴェニエルの乗船用だった。この他に、五十隻のガレー軍船に二十隻の大帆船も、コルフまでとどける任務がバルバリーゴにはあった。すべては、元帥杖と大国旗とともに総司令官に渡され、その後ではじめて、一五七一年度のヴェネツィア海軍は、活動態勢に入るのである。

ヴェネツィア本国では、また、戦闘員の欠員補充のために、兵の募集の真最中でもあった。五千人が目標で、この目標が達成されるやいなや、彼らもコルフ島に送られることになっていた。

コルフ島に到着したバルバリーゴは、クレタ近海にいたのを急ぎもどってきたヴェニエルと会い、課された任務をすべて終えることができた。

ヴェニエルは、バルバリーゴとのほぼ一年ぶりの再会を喜び、目付役とは御苦労だな、と冗談を言った。他の男ならば皮肉になるところだが、ヴェニエルの口から出るとちがってくる。ヴェニエルは、自分の性格の欠陥を充分に知り、それを制御されようと、少しも気にしない男だった。

コルフにいた前総司令官のザーネは、本国召還の正式な命令をバルバリーゴから伝えられた後、ヴェニエルの提供したガレー船でヴェネツィアに帰った。そして、ただちに、司令官職務不履行の罪に問われ、裁判にかけられて有罪となり、牢《ろう》に入れられる。ザーネに常に同調していた戦闘員の指揮官パッラヴィチーニも、ザーネとともに召還されていたが、彼も同罪だった。一五七〇年度の連合艦隊失敗の責を問われた者は、この二人の他にはいなかった。

ヴェネツィア共和国は、こうして、あらゆる面から背水の陣をしいたのである。これが活《い》かされるかどうかは、ローマの出方いかんにかかっていた。

しかし、ヴェネツィアの海での力を実際に動かすことになった男たちが顔をそろえたコルフでは、クィリーニもカナーレもクレタから到着し、城塞《じょうさい》の中で、連日真剣な討議が、それでも磊落《らいらく》な雰囲気《ふんいき》の中で進んでいた。ヴェニエルが議長をつとめるとなると、厳かで仰々しい宮廷風のやり方など吹きとんでしまうのだ。まるで、野戦の隊長たちの集まりだった。だが、その中の一人といえども、今のキプロスで春を迎えるのがどんな意味をもつかを、忘れた者はいなかった。

コルフ島の原住民は、ギリシア人である。だが、四百年もヴェネツィアの植民地であったために、とくに重要な基地であったためにヴェネツィア人の移入が多く、十六世紀後半ともなれば、血は完全に混じり合ってしまっていた。ギリシア系の姓ならばギリシア人、ヴェネツィア系の姓ならばヴェネツィア人、とはっきり分けられなくなってしまっている。これは、同じく重要なヴェネツィアの基地でも、クレタやキプロスとはちがう現象だった。

クレタやキプロスでは、エーゲ海にあるだけにギリシア色が強く、ために西欧の国であるヴェネツィアの植民地としての歳月は同じでも、コルフ島民のような、ヴェネツィア共和国への忠誠心はもちあわせていない。クレタでは、ヴェネツィアからの入植者が原住民と同化しすぎたためか、ときには本国に反抗することさえあったし、正式には百年の支配の伝統しかないキプロスでは、支配階級と被支配階級の分布は、ヴェネツィア人とギリシア人の分布と合致していた。

コルフ島の自然環境がまた、クレタやキプロスとはちがっていた。

コルフでは、自然は人間に対して優しいのである。水に恵まれ、湖には岸辺まで糸《いと》杉《すぎ》の緑がせまり、気候も温暖だった。海外で命を落としたヴェネツィア人は、キプロスやクレタに葬《ほうむ》られるのではいちまつの心残りを感じるのだったが、コルフの墓地ならばそれがない。島民も、同胞の墓と思って、捨てておくようなことはしなかった。

アゴスティーノ・バルバリーゴのコルフでの宿泊先は、商用で訪れていたコンスタンティノープルから帰ってきたばかりという、コルフ有数の大商人の家だった。ヴェネツィア共和国では、こんなふうに、軍人と商人を同居させることが多かった。

軍人も若い頃《ころ》は商船に乗っていたのだし、商人もいつ軍船の指揮をまかされるかわからないのだ。外交官でも政治家でも軍人でも商人でも、なんでもこなせる人材を、人的資源には恵まれないヴェネツィアは、常に必要としてきたからである。

そのうえ、これらの商人たちは、貴重な情報源でもあった。バルバリーゴも、宿泊先の主人から、今では反ヴェネツィアにわき立っているトルコの首都コンスタンティノープルの様子を、くわしく聴くことができたのだった。

コンスタンティノープル駐在ヴェネツィア大使バルバロが、一年前からペラ地区にある大使館に軟禁状態にあることは、バルバリーゴもヴェネツィアにいた当時から知っていた。だが、その実際がどのようなものかは知らなかった。十人委員会だけが知っていたことなのだろう。ヴェネツィアの元老院あたりで話されていたことは、そのような状態でも大使からの報告は途絶えない、ということだけだった。

コルフの商人の話では、報告書は送られる途中で、ときにはトルコの手に落ちる場合もあったのだそうである。ただ、大使バルバロは暗号を使って報告書を書くので、それを解読できないトルコ側は、手中にできてもどうにもならず、軟禁中のバルバロのところに来て、解読をたのむのだという。もちろん、大使は解読を引きうける。ただし、敵方にわかっては都合の悪いことはみな伏せ、毒にも薬にもならない内容に変えて読みあげてやるのだという。この商人も一度現場に居あわせたことがあって、バルバロは一言も言わなかったが、大使の欺《あざむ》きの自然さには舌を巻いたと言って笑った。

一触即発の緊張状態にあっても、そのすぐ裏には人間の種々相が、うかがわれずにはすまないものなのであろう。緊張で張りさけそうな一五七一年春のコルフでも、日が替わるごとに別の花が咲き、大気がゆるんでくるのが全身に感じられるのであった。

商人の家は、小さな湖に面していた。もう数ヵ月もすれば、湖面をわたってくる風を心地良く感じる季節が訪れる。だが、今はまだ、湖面に映る糸杉の緑が、日々冴《さ》えを増す春だった。

アゴスティーノ・バルバリーゴは、ヴェネツィアを後にした朝を思いだしていた。旗艦の出港だけに、元首をはじめ元首補佐官たち、それに元老院議員のほぼ全員が、聖《サン》マルコの船着場に見送りに出ていた。正装も輝やく元首の左隣りには、総司令官ヴェニエルの夫人、そのまた左にはバルバリーゴの妻も、祝日の服も華やかに居並ぶ。聖《サン》マルコ寺院の鐘楼からは、祝いの鐘が鳴りひびき、出港の道すじの海上に並んだ船からは、祝砲がとどろきわたった。

真紅に塗られた旗艦の帆柱高く、真紅に金糸の縫いとりが陽《ひ》にきらめくヴェネツィア国旗が、風をはらんで舞いあがる。聖《サン》マルコの船着場も、バルバリーゴに従う軍船の出港するスキャヴォーニの河岸も、華麗な出陣を見ようと集まった群衆で埋まっていた。その誰《だれ》もが、今年こそはトルコに真正面から戦いを挑《いど》むのだと、信じて疑わないのだった。

見送りの人々と挨拶《あいさつ》をかわした後で艦上に立ったバルバリーゴは、船着場を満たしている群衆の中に、愛する女の姿を認めた。こんなに大勢の人の中でなぜわかったのか自分でも不思議だったが、彼女の姿だけが、くっきりと眼《め》の中にとびこんできたのだ。すがりつくような視線も、確かな想《おも》いで受けとめた。女のそばには、息子がいた。少年は、他の人々と同じように、盛んに歓声をあげては手を振っていた。

バルバリーゴが参謀長に選出され、南へ向けて発《た》つと決まった日、少年は彼に、自分も連れていってくれとせがんだ。バルバリーゴとともに発つガレー軍船の艦長パスクアリーゴが、十二歳の弟も同道するのが評判になっていたのである。

しかし、バルバリーゴは、少年の願いをきっぱりと断わった。十一歳では幼なすぎる、と彼は言った。少年は、もうすぐ十二歳になるし、十二歳でも行く者もいるではないか、となおも迫ったが、バルバリーゴの答えは変らなかった。この年頃の一歳のちがいはとても大きいのだ、と言って説得したのである。少年はまだ不服そうだったが、これ以上は追求しなかった。

バルバリーゴは、少年の年齢を思って、同行を断わったのではない。もちろん、これも大きな理由だった。だが、彼の心の奥には、少年には母親の許《もと》にとどまっていてほしいという想いがあったからだ。女は、男の出陣が決まったその夜、泣きはしなかったが空《うつ》ろな声音で言ったのだった。

「あなたになにか起ったら、わたしは生きてはいられない」

男は、自分と出会うまでは、息子を育てながら健気《けなげ》に一人で生きてこられた女が、この一年余りというもの、自分という存在が当然になってしまったためか、以前のような毅然《きぜん》としたところを失ってしまっているのを知っていた。

しかし、戦いに出向く身では、気休めは口にしたくなかった。実際、なにが起るかわからないのだ。それなのに、もしも息子まで連れて行き、少年の身にもなにか起ったとしたら、そのときこそ女は生きてはいないだろう。だが、息子さえそばにいれば、自分に万一のことが起っても、彼女は生きていけるだろう、と考えたのである。仮りに少年が十六歳であったとしても、同道する気にはなれなかったであろうと思った。フローラにも少年にも、帰国の予定などは言えなかった。いや、彼自身からして知らなかった。母と子も、そのようなことは問いたださなかった。ただ、バルバリーゴは、二人に手紙を書き送ることは約束した。

その手紙が、コルフにいる彼を悩ませた唯一《ゆいいつ》のことだったのである。各基地の要塞《ようさい》の修理や、大砲の整備、火薬の補充、ガレー船の修復などは、これらに慣れているバルバリーゴを悩ませはしなかった。とくに、このコルフでは、ヴェネツィア本国にいるのと同じように、住民の協力を全面的にあてにできたのである。

書くという行為が、彼にとって他人事であったのではない。ほとんど一日に一通のわりで本国政府に向けて報告書を書くのは、総司令官次席である彼の役目だった。ただ、あの母と子への手紙が、どう書いてよいかわからなかったのだ。

そうこうするうちに、日は過ぎて行く。ついにバルバリーゴは、母と子への手紙も、彼には慣れた報告書のように書くことに決めたのだった。

一日ごとに、今日はなにをし、誰と会い、どこに行ったというようなことが、ただ羅列《られつ》されているだけの文面だ。もちろん、途中で敵の手におちる危険も考えて、機密にふれることは、いかに彼らへの手紙でも書かなかった。分量がある程度貯《た》まると、二日に一度は発つヴェネツィア行きの快速船に託せば、普通の郵便あつかいで発送できた。これらの手紙らしくない手紙の中で、優しさがうかがえる箇所といえば、手紙の最後に書かれた、きみたちのアゴスティーノより、という一行だけであったろう。

このように一見無味乾燥なバルバリーゴからの手紙だったが、なぜかこの書き方を、女はひどく喜んだ。彼女からの手紙も、まるで日記のようなものに変った。これらの手紙は、それを読む男を、ヴェネツィアにいる母と子の互いに身を寄せあっているかのような毎日を眼前にする想いにさせてくれるのだった。

ただ、バルバリーゴからの手紙のあて名は女の名であったのに、彼女から送られてくる手紙の差出し人は、いつも息子の名になっていた。それが、男には哀れであった。

コンスタンティノープル——一五七一年・春

ヴェネツィア大使バルバロに自由がなくなったのは、ちょうど一年前の一五七〇年春からである。正確にいえば、五月七日からだった。

その日、ペラ地区にあるヴェネツィア大使館を、十六人からなるスルタンの近衛兵《このえへい》の、通称イエニチェリの一隊が訪れ、隊長が、大使とその部下全員は危険人物とみなされ、大使館内に監禁する、という命令を読みあげた。

ほんとうを言うと、バルバロにはこれが意外だった。外交官特権など無視するトルコは、ヴェネツィアとの戦いがはじまると、大使も館員たちも、ボスフォロス海峡沿いにある、ルメーリ・ヒサーリの城塞《じょうさい》内の牢《ろう》に閉じこめるのが決まりになっていたからである。それが、大使館からの外出を禁止されただけなのだ。これは、バルバロの気分を明るくしないではおかなかった。トルコの宮廷内に、ヴェネツィアとの関係を保ちつづける意志があるという証拠であったからだった。

しかし、軟禁状態は、数ヵ月ももたなかった。ある朝やってきた一団の工兵たちが、大使館の窓という窓を、一面に板を打ちつけてふさいでしまったからである。それからはずっと、昼間でもろうそくの灯《ひ》の下でくらす毎日になった。それでも、牢に投げこまれることだけはなかった。

この状態でも、大使は、祖国への報告書を送ることと、トルコ宮廷内の穏健派の総将、宰相ソコーリとの連絡をとりつづけることを忘れなかった。

まず、報告書を送る手段だが、板でふさがれてしまったとはいえ、大使館には人が訪れないわけではない。実際、訪問を禁止することは無理だった。

訪問者の大部分は、コンスタンティノープルでいまだ経済活動だけはつづけていた、ヴェネツィア系の商人たちである。彼らには、本国をはじめとして、ヴェネツィアの他の商業基地や全ヨーロッパの主要都市に散らばる支店に向けて、取引上の通信を送る必要が常にあった。

当時の西欧諸国の中で、トルコとの間に定期的な郵便制度をもっていた国は、ヴェネツィア一国だけである。そして、その業務を担当する部門は、つまり郵便局は、ヴェネツィア大使館にあった。これでは、ヴェネツィア商人にかぎらず他国の商人も、ヴェネツィア大使館を訪れないわけにはいかない。

そして、郵便局を利用する必要のある者は、極秘の文書の発送役としても、使えないことはなかった。遠国にいるヴェネツィア市民は、たとえ商人であろうとスパイと同じ、とは、当時では常識とさえ思われていたのだ。大使の依頼ならば、ほぼ例外なく誰《だれ》もが引きうけた。また、商用通信のように見せかけた極秘文書を送るのに、名を貸すことを断わる者もいなかった。

しかも、西欧との定期郵便はヴェネツィア大使館に頼むしかない以上、コンスタンティノープルに駐在する他国の大使たちとて、通常はヴェネツィア郵便を使う。商売の必要から生れた制度だけに、ヴェネツィア経由でも、早さと安全性と秘密保持では信用度が高かった。そして、当時のフランスは、スペインへの対抗心から、ヴェネツィアの利となることは進んでやる態度を明らかにしていた。ヴェネツィア駐在フランス大使あてにしても、送れないことはなかったのである。

だが、他国人を信用しないヴェネツィアは、この道は使わなかった。それどころか、ヴェネツィア大使館の「郵便局」を経由する他国の大使たちの本国への報告書に対しては、とくに、速度と安全確実な到着は保証したが、発送前に文面に眼《め》を走らせることは忘れなかったのである。

この定期郵便制度も、完全に安全であったというわけではない。なぜなら、この制度が、早さと定期性を重視したがために、コンスタンティノープルからヴェネツィアまでは海路ばかりを使わず、まずコンスタンティノープルからアドリア海の沿岸都市カッタロまでは陸路を行き、そこから快速船でヴェネツィアまでとどけられることが多かったからである。この場合、陸路の大部分はトルコ領なのだ。それで、ヴェネツィア、トルコ間の雲行きが怪しくなるたびに、トルコは郵便物を横どりしようと策す。飛脚の出発の日を変えたり、飛脚を変装させたりして送り出すのだが、それでもいくらかはトルコ側の手に落ちるのだった。

こうなると、ヴェネツィア大使の報告書は、暗号文に変る。レモンのしぼり汁《じる》と牛乳を混ぜたインクで書くという、中世に普及したやり方は使われなくなって久しかった。これで書くと文字は消え、火であぶってはじめて文字が浮き出てくるのだが、この方式はもう、トルコ人に知られてしまっていたのである。

ヴェネツィアの外交担当者たちの使った暗号には、単純なものから複雑なものまでいくつかの種類があった。一時代に一種類というのではなく、これらを同時に併用したのである。

第一の方式は、あらかじめできている小さな円形の図表に従った方式で、その一番外側にはアルファベットが一文字ずつ書かれている。そして、次の輪にはラテン語、その次にはギリシア語かトルコ語という具合に、円心に向っていくにしたがっていくつかの国語が並ぶ。これを使うと、一見ラテン語で書かれたように見える文面も、イタリア語の文面として読むことができるのだった。

第二の方式は、あらかじめ送り手と受け手の双方で、アルファベットの文字ひとつひとつに別の文字を意味させることを、了解しあうことで成り立つ方式である。例えば、Aと書いてあっても、ほんとうはSを意味し、Bとあっても、Aを意味するという具合だ。このやり方で、文面を作成するのだった。

第三の方式は、右に向って横に一行で書きつづけるところを、一字ずつ、二行に分けて書く方式である。例えば、艦隊を意味するFLOTTAも、

FOT
LTA

となる。だが、これらの暗号は、一見して暗号文とわかってしまう欠点をもっていた。それで、もう一つの第四方式を使うことも少なくなかったのである。

それは、一見、五線紙に書かれた普通の楽譜と同じものだった。ただし、オタマジャクシの一つ一つは、それぞれアルファベットの一文字を意味している。だから、受

けとった者は、楽譜に書かれたオタマジャクシの下に、一つずつ決められているアルファベットの文字を書きこんでいけば、文面が浮びあがってくるというものであった。

これはなかなか利口な方法に思われたが、コンスタンティノープルのヴェネツィア大使館から本国に向けて、楽譜ばかりが多量に送られるというのも妙な話である。妙な話ならば、トルコ側の注意をひかずにはすまない。それで、この方式による暗号文書は、帰国する商人にもって行ってもらったり、ひとまずクレタ島に送った後で回送させたりして、考えうるかぎりのあらゆる道を通って送られたのであった。

大使バルバロは、監禁状態の三年をふくめた五年間の任期中に、さまざまな苦労をしながらも、四百通以上にのぼる報告書を本国に送っている。それも、本国政府が受けとった数だけである。これらの大半は、暗号で書かれたものだった。

これらの暗号を、トルコ側は結局解読できなかった。それで、横取りには成功したものの読みようもない報告書を、監禁中のバルバロのところに持参して、彼に読んでもらうという愉《たの》しいことも起ったのである。大使バルバロは、当然のことながら、まったく反対の意味の、それでいてトルコ人の期待しそうな文面に変えて、読みあげてやるのだった。

トルコ宮廷内の穏健派との連絡のほうは、次の方式で、これも極秘裡《り》につづけられていた。

アシュケナージという名の、ユダヤ人の医師を使ってである。ただ、それがあるとき、強硬派の頭目でスルタン第一の側近としてはばをきかせていたピアル・パシャに呼びとめられ、宰相の屋敷へのしばしばの訪問の真の目的を言えと、詰問《きつもん》された。その場は巧みに言いつくろって逃れたアシュケナージだが、危険が迫ったと悟るや怖《おそろ》しくなり、早速、宰相とバルバロの二人に報告する。誰かから秘密がもれているにちがいなかった。

疑いは、ユダヤ人の医師が宰相と会う場に同席していた通訳に向けられた。ユダヤ人の医師のトルコ語は完璧《かんぺき》でなく、宰相つきの通訳が立ち会うことが多かったのだ。どうやらこの疑いは、的をついていたようであった。宰相と大使バルバロの、アシュケナージを通じての相談の結果、通訳を消すことに決まった。毒薬を調合したのはユダヤ人の医師で、盛ったのは宰相である。結果は、成功だった。例によって暗号で書かれた報告書の一つで、大使バルバロは、次のように本国の十人委員会に報告している。

「五日前、医師は任務を完了しました」

一五七一年の二月十九日のことであった。

交戦国で任務を遂行する外交担当者の苦労は、こんな具合で終りというものがない。しかし、友好国ローマで仕事するヴェネツィアの外交官にとっても、任務は楽などというものではまったくなかった。

ローマ——一五七一年・春

ローマに送りこまれているヴェネツィアの特命全権大使ソランツォにとっては、一五七〇年から七一年にかけての冬は、ひどく長く、また厳しく感じられる冬になった。春には、なんとしても、実効力をもつ神聖同盟を完成させなくてはならなかった。

その彼にとっての希望は、卵ばかり食べていたにしては活力の衰えをみせない、法王ピオ五世の十字軍精神である。

三月、ヨーロッパでの旅が少しでも自由になるやいなや、法王の親書をふところにした枢機卿《すうきけい》たちが、各国の宮廷に向けて旅立って行った。

だが、結果が思わしくないことは、旅立つ前からわかっていたのだ。王侯たちには、それぞれ政治上の思惑《おもわく》があったことと、これまでのピオ五世の反動宗教改革的言動が、彼らの反撥《はんぱつ》を買っていたからでもある。

ドイツとオーストリア、ハンガリーに君臨する神聖ローマ帝国皇帝マクシミリアン二世は、自領に向けられたトルコの攻勢をかわそうと、つい先年、スルタン・セリムとの間に不可侵条約を結んだばかりだった。当然、法王を満足させる答えは返ってこない。

フランスは、シャルル九世の治世だったが、摂政をつとめるのはカトリーヌ・ド・メディシス。国内でのカトリック対ユグノー教徒との争いが過熱状態にあることからだけでも、同盟参加の余裕もなかったであろう。また、スペインへの敵愾心《てきがいしん》から、トルコのほうと同盟関係にあるので、対トルコを目標とした同盟参加に、良い返事を与えるはずがなかった。

イギリスは、エリザベス女王の時代だったが、ロンドンに着いた法王特使は、女王に会うことさえもできなかった。メアリー・スチュアート支持を公然と表明していたピオ五世は、できるならば自分がエリザベス殺害の刃《やいば》をにぎりたい、と放言したことがあって、それが女王を怒らせていたからだ。このイギリスからは、騎士一人とて期待できなかった。

ポルトガル王の答えも、否定的。ドイツのプロテスタント諸侯も、聴く耳をもたない。ルターが、トルコ人のほうがローマ法王よりは十倍正しい、などと言っていたからである。

イスラム打倒の十字軍魂ではピオ五世に劣らない、マルタ島に本拠をおく聖ヨハネ騎士団も、六年前のトルコとの攻防で全力を出しきっていて、快諾しようにもできない状態にある。それでも、三隻《せき》のガレー軍船を、騎士団長自らがひきいて参加することを伝えてきた。

小規模ながら参加を承知してきた国々には、次の諸国があった。だが、そのうちの一つとして、十六世紀西欧の主人公である、領土型の大国はない。いずれも、イタリア内の小国である。マントヴァ公国、フェラーラ公国、サヴォイア侯国、ウルビーノ公国、ルッカ共和国にジェノヴァ共和国。このうち、少しにしてもガレー軍船を提供できたのは、サヴォイア、ジェノヴァの二国にすぎなかった。他は、君主の親族や貴族たちが兵を従えての参加なので、戦闘員のみの参戦ということになる。フィレンツェを首都とするトスカーナ大公国も、参加を承知してきた国に入っていた。

だが、これは、法王庁の分担を肩代わりしたのである。法王庁国家は、海軍をもっていない。しかし、主唱者である法王が軍事面で無力というのは、前年の失敗を思い出しても、くり返すべきではなかった。それで、海運国になろうと船隊建造に着手していた、トスカーナ大公国に頼んだのである。

大公メディチは、自国の君主制を確実なものにしたい思惑から、法王のこの特別の要請を受けたのだった。十二隻のガレー軍船とそれに要する戦闘員まで、大公が保証することになった。つまり、実質はトスカーナ大公国の、法王庁艦隊の誕生である。

結局、このような現状では、対トルコの連合艦隊の主要参加国は、前年と同じくスペインとヴェネツィアにならざるをえない。法王の特使派遣も、マドリードの宮廷に集中することになった。フェリペ二世の胸次第であったということになる。

これが、簡単ではなかった。三月、四月と、ローマとマドリードの間に、手紙と人の往復がくり返された。ヴェネツィアは、フェリペ二世説得作戦に、第一線には立たなかった。あくまでも法王に、正面に立ってもらう方針を貫いたのである。マドリード駐在のヴェネツィア大使も活躍したが、それはただ、ヴェネツィアの開戦の意志がかたいことを王に認めさせるにとどまった。このほうが、スペイン王に、不参加を表明しにくくさせるには良策であったからである。

スペイン王国がヴェネツィア共和国を快く思っていない理由は、三つあった。

第一は、全イタリア半島の支配をめざすスペインの前に立ちはだかる唯一《ゆいいつ》のイタリアの国家が、ヴェネツィア共和国であったことである。すでにナポリからシチリアまでの南伊と、ミラノ、ジェノヴァを中心とする北伊の領有に成功し、大公夫人にスペイン女を送りこむことでトスカーナ大公国を、また、反動宗教改革派が主導権をにぎった法王庁までも影響下におくことに成功していたスペインにとって、そのめざすところのものをはばむ唯一の、しかも強力な抵抗勢力こそ、ヴェネツィア共和国であったのだ。

第二の理由は、非寛容な反動宗教改革運動の震源地として自負するスペインに対し、同じカトリック国家であっても、ヴェネツィアは、他の宗教を信ずる民族に寛容な民族性を、伝統としてもつ国家であったことにある。

ヴェネツィアは、政教分離の立場から常に法王庁と一線を画してきた、長い歴史をもっている。そのうえ、信教の自由が存在する、当時ではほとんど唯一の西欧の国であった。

異端裁判所のわなにかかった不幸な人々は、脱走に成功すれば誰《だれ》でも、ヴェネツィア領内に入ってはじめて心から安心できたのである。法王が良きキリスト教徒には不適当として禁書処分にした書物も、ヴェネツィアでは買うことができ、読んでも火あぶりになる心配はなかった。このヴェネツィアでは、ルターもマキアヴェッリも古代のエロスの詩も、堂々と書店に並んでいた。

第三の理由は、同じラテン系の民族ながら、スペインとヴェネツィアでは、民族性が極端といってよいくらいにちがっていたことにある。ヴェネツィアには、ドン・キホーテは絶対に生れなかったにちがいない。そのために、この両国の対立も、民族的で歴史的なものにならざるをえないのだった。

しかし、当時のこの二国の関係を複雑にしていたのは、敵対していればすむというものでもない、というところにあった。

ヴェネツィア共和国にとっては、トルコの脅威をはね返すには、自国のみでは不可能な時代になっている。といってスペイン王国のほうも、北アフリカへの領土欲を満足させたいと思えば、ヴェネツィアの海軍力が不可欠という状態にあった。

つまり、この二国はいずれも、敵対する相手国を必要としているのだ。互いに相手国の力が減ずるのは喜びながらも、相手国なしでは結局はなにもできない。しかも、利害を越えた信教の世界では、もう完全に肌《はだ》が合わないときている。

それがために、ローマでくり広げられている法王を中にしてのこの両国の交渉は、事情を知らない人の眼《め》には、決裂必至と映ったにちがいない。だが、連合艦隊実現を誰よりも必要としていたのは、やはりヴェネツィア共和国のほうであった。ヴェネツィア特使ソランツォは、すでに三月、妥協ぎりぎりの線を本国政府から告げられていた。

神聖同盟の連合艦隊の規模は、軍船二百隻、戦闘員五万、と決められた。これだけの規模の艦隊でなければ、トルコ艦隊に対抗できなかったからである。

この連合艦隊に、各国が、といっても事実上はスペインとヴェネツィアが、どのような比率で参加するかが第一の問題であった。

比率は、軍船にかぎらない。接近しての白兵戦になるのが明らかなガレー船同士の海戦だけに、戦闘員の重要性も、軍船とほぼ同等とみなされる。

これに関しての交渉は、特使ソランツォのねばりどころであった。前年のように、ドーリアのお傭《やと》い艦隊だけ派遣されてお茶をにごされては終りである。ここはなんとしても、スペインから艦隊を引きずり出さねばならなかった。船や兵の問題ではない。スペイン王参加という、「重み」の問題なのであった。

戦闘員に要する経費を重視したのか、総経費の分担は、

スペイン――六分の三

ヴェネツィア――六分の二

法王庁——六分の一

と決まった。いかに人に要する経費が重視されたかの証拠に、軍船の分担比率となると、次のようになる。

スペイン総数——七三隻

（スペインの港より、一五隻。スペイン支配下のナポリ、シチリアより、三六隻。傭兵隊《ようへい》長ドーリア所有——二二隻）

法王庁——一二隻

その他イタリア諸国——一一隻

聖ヨハネ騎士団——三隻

ヴェネツィア——一一〇隻

総計——二〇九隻

これは、各国が決められた分担に応じて負担する数ではなく、負担できる数が、各国の「分担」となったのである。また、この数字はあくまでも予定数で、集結地に錨《いかり》をおろす船を数えるまでは、実際の参加数は確かなものにはならないのであった。集結途上での難破という事態だって、考慮に入れる必要があったのだ。

第二の問題点は、戦略目標にあった。

これが明確でなかったことが前年の失敗の主因であったのだから、ヴェネツィアも真剣だ。今年こそは、細部まで明記されなければならなかった。

ヴェネツィアの真意は、キプロス救援にある。

スペインは、北アフリカ攻略に連合艦隊を使いたがっていた。

法王は、イスラム教徒と戦うならば、どこであろうとかまわないと思っている。しかし、現実にキリスト教徒とイスラムの間で戦争が起きているのはキプロスだから、連合艦隊の進路がオリエントに向けられるのは当然とは思っていた。

だが、状況を左右できる力は自分たちにあると思うスペインは、戦略目標が東地中海に限定されることに、断固として反対する。これは、理《ことわり》のないことでもないので、法王がまず動揺し、ヴェネツィアも妥協するしかなかった。

決まったのは、地中海の東西にかかわらず、敵のいるところに出向き対戦する、というものである。そして、次のことも決まった。

ヴェネツィア共和国の領土がトルコに侵略された場合は、スペイン王以下同盟の参加国全員は救援の義務をもつ。また、スペイン王領がトルコに侵略された場合も、ヴェネツィア以下各国は、救援の義務を有する。

これが、キプロス救援とまで明記させようと努力した、大使ソランツォの獲得した一項であった。しかし、彼にしてみれば、現にトルコに侵略されているのはヴェネツィア領のキプロスなのだから、という想《おも》いであったろう。だが、想いと明記は、やはりちがうのである。

決議事項には、次の諸項も加えられた。

神聖同盟連合艦隊は、毎年三月には準備を完了し、四月には出陣する。とはいっても、一五七一年の三月と四月は、いまだ交渉の真最中であったのだ。

トルコ軍との戦いによって獲得した地は、以前の領有国に返還される。ただし、それがチュニジア、トリポリ、アルジェリアの場合は、スペイン王の領有となる。

トルコからの小麦輸入が不可能になるヴェネツィアのために、南伊のプーリア地方の小麦をヴェネツィア輸出に向けることを、スペイン王は保証する。

南伊は、当時スペイン王領だった。

しかし、なんといっても最大の難関は、総司令官の人選にあった。

ジャンアンドレア・ドーリアを推すスペインに、ヴェネツィアは前年と同じく断固反対し、ヴェネツィア海軍総司令官セバスティアーノ・ヴェニエルを主張するヴェネツィア案に、スペインが反対する。法王の妥協案マーカントニオ・コロンナは、ヴェネツィアも喜ばず、スペインも難色を示すという具合で、交渉は一時、この問題のためだけで、暗礁《あんしょう》に乗りあげてしまったほどだった。

だが、これも五月に入って、スペインの出した第二の案であるオーストリア公ドン・ホアンに、ヴェネツィアが折れたことで難題も解決した。ヴェネツィアは、これ以上ねばりぬいた結果、すべてが反古《ほご》になることを怖《おそ》れたのだ。

ただ、ドン・ホアンなる人物に、連合艦隊を指揮する総司令官の能力があるか否《いな》かに、明快な答えを与えられる人は、マドリードにさえもいなかったろう。とくに、ヴェネツィアの海将たちの間では、名を聴いた者さえなく、ドン・ホアンとは誰、という空気が支配的であった。

にわかに国際舞台に登場した感じの、そしてこの舞台では、「オーストリア公ドン・ホアン」と呼ばれるのが普通になるこの人物は、その年、二十六歳になっていた。スペイン王フェリペ二世の、腹ちがいの弟にあたる。

ただし、この二人は、兄弟として育ったわけではない。ドン・ホアンは、先帝カルロスとドイツ貴婦人の間に、一五四五年、南ドイツのレーゲンスブルクで生れたのだ

ヴェネツィア大使は、こう大義名分を表面に立てて、ドン・ホアン総司令官就任をヴェネツィア側が受けいれる理由をのべた。だが、真意は、これによって、信用のおけないドーリアの総司令官就任を最終的につぶすことにあったのだ。

しかし、ドン・ホアンの海将としての能力にも不安があったので、次のように提案した。

連合艦隊総司令官になるドン・ホアンは、ヴェネツィア海軍総司令官のヴェニエルと、法王庁艦隊をひきいるコロンナの二人に、すべてを相談し、この三者間の合意が成立しないかぎり、いかなる決定も実行に移されないこと。

これは、フェリペ二世も受けいれた。いったん総司令官の地位をわがものにしてしまえば、後は自分の思いのままになるとでも考えていたのであろう。

同じ条件は、同盟の主唱者が法王である以上、法王庁艦隊の責任者が就任するのが当然と思われていた副司令官の人選にもつけ加えられた。

総司令官の身にもしものことが起れば、ただちに代わって総指揮をとるのが副司令官である。コロンナのその面での能力は前年の例を見ても安心できるものではなかったから、シロウト二人に大艦隊の指揮をゆだねる不安も、右の条件をつけたことで、少しは解消されたわけだった。

艦隊の集結地は、シチリアのメッシーナと決まった。

ただし、集結の日時までは明記できなかった。ヴェネツィア海軍をのぞけば、これから船と人を集める国々が多かったからである。ヴェネツィア海軍とて、本国からの五千の戦闘員が、コルフ島に到着していなかった。


一五七一年五月二十五日、ローマに集まった参加各国の代表の調印によって、神聖同盟は公式に発足した。

聖《サン》ピエトロ大寺院で行なわれた特別ミサで、総司令官の旗艦の帆柱高くかかげられる同盟旗も聖別される。まるで難産の後の誕生のような同盟だったが、出産後も、快調な育ち方をはじめるには数ヵ月を待たねばならなかった。


六月十八日、コンスタンティノープルにいるヴェネツィア大使バルバロは、十人委員会からの極秘の指令を受けとった。トルコとの和平の打診を中止せよ、というものだった。

ヴェネツィア共和国は、ここにきてついに、戦争一本にしぼったのである。大使バルバロの送った暗号文によれば、トルコの港からは、アリ・パシャ指揮の大艦隊が、南に向けて出港したということだった。

メッシーナ――一五七一年・七月

同盟発足後比較的順調に行動を開始したのは、コロンナ指揮する法王庁艦隊である。小船隊であっただけに、可能でもあったのだ。

六月十五日、マーカントニオ・コロンナは、盛大な見送りをうけてローマを発《た》ち、法王庁国家の主要港であるチヴィタヴェッキアに到着する。旗艦に乗りくむ人々も従従えての、到着だった。一行には、法王の甥《おい》やコロンナ家の面々はもちろん、コロンナとは仇敵《きゅうてき》の仲のオルシーニ家の男たちも加わり、ローマ貴族の総登場を思わせる偉容だった。二十五人のスイス兵と百八十人の歩兵は、法王がローマの守備隊から分けてくれた兵たちだ。

チヴィタヴェッキアの港には、トスカーナ大公の提供した十二隻《せき》のガレー軍船が、すべて入港していた。これらの船には、フィレンツェの貴族たちが多数乗船している。

この貴族たちの多くは、フィレンツェで盛んな宗教騎士団、聖《サント》ステファノ騎士団の制服をつけていた。

他のイタリア諸国からの船は準備がととのいしだいメッシーナに集結するよう命令を与えて、並はずれた才能の持主ではなくても忠実なコロンナは、六月二十一日、十二隻だけをひきいて、次の寄港地ナポリに向けてチヴィタヴェッキアを後にした。

六月二十四日、ナポリに入港する。当初の予定は、このナポリで、スペインからくるドン・ホアンを待つことになっていた。スペイン艦隊の主力が到着し、ともにメッシーナへ向うのが、あらかじめ決められた行動だったのである。それがために、コロンナは、本来ならば法王自らの手でドン・ホアンに授けられねばならないはずの、聖別された同盟旗を、ナポリまでもって来ていたのだ。これを手にしないかぎり、ドン・ホアンの神聖同盟総司令官としての任務は、正式にはスタートできないのである。

ところが、そのドン・ホアンがいっこうに到着しない。ナポリからシチリアまでの南イタリアを支配するスペインは、王の代行をする副王《ヴィーチェ・レ》を、ナポリにおいている。その副王を問いただしても、ドン・ホアンの消息すら知らないという答えが返るばかり。

困惑したコロンナは、同盟旗は副王にあずけ、自分はひとまずメッシーナへ向うと決めた。連合艦隊実現というピオ五世の情熱を自らのものとしていた忠実なコロンナは、法王庁艦隊のメッシーナ到着だけでも、既成事実にしておく有利を考えたからである。ナポリで三週間待ちつづけた末に、到達した結論でもあった。

七月十五日、ナポリを発った法王庁艦隊が、ティレニア海を一路南下し、メッシーナの港に入ったのは、七月三十日の夕暮だった。

シチリア島の東端にあって、狭いが流れの早い海峡をへだてるだけでイタリア半島と向いあうメッシーナの港には、すでに一週間も前から、ヴェニエル指揮のヴェネツィア艦隊が到着していた。

ただし、ヴェネツィア艦隊の一番乗りは、すべてが快調に行った結果ではまったくなかった。犠牲をともなわずにはすまない、苦い選択の結果にすぎなかったのである。トルコ艦隊は、本隊の出港の前に、配下の海賊ウルグ・アリに命じて、徹底したゲリラ作戦を遂行させていたのだ。

十二隻の快速ガレー船をひきいたイタリア出身のもとキリスト教徒のこの海賊は、キプロス救援に向うヴェネツィア船を集中的に襲った。海賊を業とするだけに、地中海は自分の掌《てのひら》のように熟知している。そして、小型の船だけに行動も敏速だ。キプロスの近海にいたと思えば、ロードス島附近の海に姿をあらわす。クレタの南岸を荒らしまわった数日後、マルタ島近海に出没するという具合だ。

しかも、大胆にも、ヴェネツィア艦隊が停泊しているコルフ島の沖合で、キプロスに向っていた三隻の大帆船を沈没させる戦果まであげたのである。この男の縦横な活躍ぶりは、ヴェネツィアからキプロスへ向う航路を、クレタから東は機能不可能なほどにさせていた。

それでも、ヴェネツィアは、コルフとクレタに艦隊をおいている。このために、さすがのウルグ・アリも、アドリア海までは潜入できないでいた。

しかし、この現状も、コルフとクレタにいるヴェネツィア艦隊がメッシーナへ向った後は、つづかないと見るほうが現実的である。かといって、メッシーナ行きを遅らせることは、連合艦隊出陣の日を遅らせることと同じだ。ヴェネツィア海軍総司令官のセバスティアーノ・ヴェニエルは、苦しい二者択一を迫られていたのである。

結局、ヴェニエルは、コルフにいる艦隊だけをひきいて、メッシーナに向うことを決意した。クレタにいる艦隊には、命令を受けしだいただちにメッシーナへ向えと伝えさせる。連合艦隊実現のために、ヴェニエルは、クレタ近辺のエーゲ海と、そこからコルフまでのイオニア海を、事実上無防備状態にする犠牲を払ったのだ。コルフにもクレタにも艦隊を配置し、それでいてメッシーナにも艦隊を送れる余裕が、ヴェネツィアにはもはやなかった。

ヴェニエルがメッシーナに従えてきたのは、五十八隻のガレー軍船と六隻のガレアッツァである。クレタからは、マルコ・クィリーニがひきいて、六十隻が到着する予定であった。


このヴェニエルが、一週間待たされた後にようやく到着したコロンナを、笑顔で迎えられなかったとて無理はない。ヴェネツィアの海将の怒りは、ドン・ホアンをナポリで待ったが消息すらつかめなかったという、コロンナの釈明を耳にしたとたんに爆発した。

三十六歳のマーカントニオ・コロンナは、武将よりも宮廷人を思わせるタイプの男だった。背は低く、痩《や》せている。若いのに頭は禿《は》げあがっていて、眼だけがひどく大きく、虚弱児がそのまま成人したような印象を与えた。

この男の前に、並よりは背が高く並よりは横幅も広い、白髪が逆立っているヴェニエルが立ちはだかると、怒声は発しなくても、まるで大鷲《おおわし》が鳩《はと》を威喝《いかつ》しているように見えるのだった。

しかし、このマーカントニオ・コロンナは、法王ピオ五世の信任厚い家臣である。また、コロンナ家というローマ最高の名家の出身で、スペイン王家との好関係でも知られていた。ヴェネツィアにとっては、威喝してすむ相手ではない。話題を変えることでその場をつくろったのは、同席していたバルバリーゴだった。

アゴスティーノ・バルバリーゴは、スペイン艦隊を指揮することになっているドーリアの消息を、コロンナにたずねた。人の良いコロンナは、ほっとしたような口調で、この話題に乗ってきた。二人の間で、少数ずつ船を提供する国々をまわってくることになっている、ドーリアのメッシーナ到着がいつになりそうかが話された。だが、これも、確かなことはコロンナさえも知らなかった。そして、ヴェニエルもコロンナもバルバリーゴも、所詮《しょせん》すべてはドン・ホアンの到着にかかっていることを、口には出さなくても、心に思っていることでは一致していたのである。

一方、人々の関心の中心となったオーストリア公ドン・ホアンは、すでに六月六日に、マドリードを発ちバルセローナに向っていたのだった。バルセローナの港では、サンタ・クルズ侯爵《こうしゃく》が待っていた。従えて行くガレー軍船も準備が完了し、いつでも出港できる状態にある。

ところが、出港の日が、ほとんど数日の間隔で、先へ先へと延ばされるのだ。フェリペ二世の命令で、スペインのハプスブルク家訪問を終えて帰国するドイツのハプスブルク家の二人の公子を、ジェノヴァまで送るようにと言われていたのだが、その二人の公子の出発の準備が終っていないというのが理由だった。

ドン・ホアンは、夏のバルセローナで待ちつづける。マドリードから二人の公子が到着し、ようやく出港することができたのは七月の二十日。ドン・ホアンのバルセローナ到着から数えれば、四十三日もの日数が過ぎていた。

一行のジェノヴァ到着は、七月二十六日である。だが、すぐにもジェノヴァ港を後にできたわけではない。ドイツの二人の公子歓送の宴が開かれ、それに欠席するわけにはいかないところから三日がつぶれた。そのうえ、ここジェノヴァでは、六千のドイツ兵と二千のイタリア兵、一千五百のスペイン兵を乗船させるという仕事もあった。

当時の艦隊は、はじめから全船の武装化が完了して、出港するのではない。ガレー軍船の場合、指揮官の一団に船乗り、それに漕《こ》ぎ手《て》だけで出港し、途中の寄港地で戦闘員を乗船させるのが普通だった。これまた傭《やと》われるのが普通の戦闘要員は、各寄港地に集められ、そこで乗船する船の到着を待つ。このためにも、しばしば寄港する必要があったのである。

だが、これも、通常は囚人を漕ぎ手に使うスペイン船のことで、漕ぎ手さえも自由民を傭うのが伝統のヴェネツィア船では、ほとんどの場合、本国の港を出るときは、指揮官たちと船乗りしか乗船していない。アドリア海の港々に寄りながら、漕ぎ手や戦闘員を乗せ、コルフ島に寄港するときになって武装化ほぼ完了、というのが通例であった。

ドン・ホアンの場合も、スペインからわざわざひきいてきた船を、ジェノヴァで武装化する必要があったのである。一行が、ナポリへ向けてジェノヴァを発ったのは、八月五日になっていた。

そして、ナポリ入港が八月九日。法王から授けられたキリストの大軍旗と元帥杖《げんすいじょう》を受ける儀式などで十日を費やした後、ドン・ホアンのひきいる艦隊がメッシーナの沖合に姿をあらわしたのは、八月の二十三日の夕暮であった。

が、カルロスの家臣の手で、十四歳になるまで秘密裡《り》に育てられたのである。十三歳の年、父のカルロスが死に、すでにスペイン王となっていたフェリペ二世は、この翌年、十四歳のドン・ホアンを、正式に弟として認めた。

ドン・ホアンは当初、聖職界に入るよう定められていたのだが、成長するにしたがって、軍事の世界への関心を示しはじめる。兄のフェリペ二世も、この面での利用価値を認めたのか、軍務をまかせる気になった。

二十三歳のドン・ホアンは、アルジェリアの戦いに参加する。翌年、南スペインのイスラム一掃の戦闘には、総指揮官をつとめた。

これが、一五七一年当時までの、彼の戦績である。いずれも勝利者ではあったが、あくまでも陸上の戦闘の勝利者にすぎない。海戦の実績はゼロだった。この人物に、しかも若い貴公子に、二百隻からなる大艦隊の指揮をまかせるのは、ヴェネツィアの海将たちにとっては、不安以外のなにものでもない。大使ソランツォには、このヴェネツィア側の不安を少しでも解消する任務が課された。

王弟の出馬ということは、王自らの出馬にはおよばなくても、傭兵隊長ドーリアを総司令官にすえるよりは、威信を与える意味で計りしれないちがいがある。

メッシーナ――一五七一年・八月

ついに姿を見せた若い貴公子は、先ぶれの船も送らず、突如、メッシーナの港に入ってきた。

夕陽《ゆうひ》が対岸の山なみにかくれようとする時刻で、海峡は夕なぎで静まり、海は一面に黄金《こがね》色に輝やく中での到着である。

コロンナもヴェニエルも、迎えのために艦隊を整列させる暇もなかった。それでも、陸上からは祝砲がとどろき、急ぎ迎えに出た船上から、法王庁とヴェネツィアの高官たちは、はじめて眼《め》にする総司令官に好奇心を刺激されてか、誰《だれ》もが船首に集まって、近づいてくる豪華をきわめた船を見つめる。船首に一人立つ青年が、ドン・ホアンにちがいなかった。

背はすらりと高く、夕陽を背にしていても、青白い肌《はだ》の持主であることがわかる。

眼はあくまでも青く、頭髪は輝やくばかりの金髪だった。立ち姿からだけでも、優雅な立居振舞いの男ということが想像できる。

左右に並んで迎える形になったコロンナとヴェニエルの船を認めた青年は、はじめて微笑した。その微笑がまた、自然に生れを意識している人のみがかもしだす、余裕と優しさにあふれたものだった。

港を埋めた船からも、また船着場で待つ人たちからも、いっせいに歓声がまき起った。「ドン・ホアン」「ドン・ジョヴァンニ」と、スペイン語とイタリア語双方での叫びが、狭い海峡を満たして広がる。これにも、若い貴公子は、ごく自然な微笑に手をあげる姿で応《こた》えつづけた。

これは、共和制を誇るヴェネツィア人には、逆立ちしても得られないたぐいのものであった。姿をあらわしただけで人々の間にある感情をまき起すという存在を、共和制のヴェネツィアはもっていなかったのである。

ヴェニエルもバルバリーゴも、待たされつづけた末にようやく到着した総司令官に、ほっと安堵《あんど》の胸をなでおろすと同時に、この面でのドン・ホアンの存在理由を認めざるをえない想《おも》いだった。後は、この若者に、総司令官の真の職務を遂行できるか否《いな》かだけが、問題として残る。だが、少なくとも、若々しい総司令官の登場が、船乗りや兵士たちの間に、明るい希望と確かな期待の気持をわき立たせたのも事実であった。

その日の夜は、長旅の疲れを配慮して、歓迎の宴さえも開かれなかった。参加諸国の司令官の集まる作戦会議も、翌日にもちこされた。

ただ、コロンナだけは、副司令官という格で、ドン・ホアンと差し向いの会談をもった。この一時間ほどの間になにが話されたかは、誰も知らない。だが、コロンナが後に法王に送った手紙によれば、到着早々のドン・ホアンに、すべては三司令官の合意によって決定するということを、確認させるための会談であったという。

おそらく、宮廷人だけにすべてに目ざといコロンナは、ドン・ホアンのかたわらから離れない、レクエゾス卿《きょう》の存在が気になってしかたがなかったのであろう。実際、このスペイン人は、フェリペ二世の命を受けてドン・ホアンの顧問として従《つ》いてきている、言ってみれば御目付役であった。コロンナが二人だけの会談を望んだのは、この人物のいないところで、ドン・ホアンと話したかったからである。

翌二十四日、総司令官の旗艦上で、第一回の作戦会議が開かれた。

出席者は、議長もつとめるドン・ホアンに、ヴェネツィア側からはヴェニエルとバルバリーゴ。法王庁からは、マーカントニオ・コロンナと、戦闘員指揮官のプロスペロ・コロンナ。他《ほか》には、サヴォイア、ジェノヴァ、マルタなどの、船と人双方で参加する国々の代表。そして、フィレンツェ、ルッカ、フェラーラ、マントヴァと、人だけの参加国の代表も顔をそろえた。

もちろん、レクエゾス卿も、ドン・ホアンの背後にひかえて動かない。卿は、スペイン王から、連合艦隊の出港を可能なかぎり先に延ばし、もしもこれ以上の延期が不可能な場合でも、行き先を北アフリカに向けさせよ、との密命を与えられていたのであった。

一回目の作戦会議は、軍船の数、乗員数などを確かめあうことに費やされた。ただ、スペイン側の引きのばし作戦は、早くも作戦会議の第一日目でヴェネツィア側に気づかれる。自分の船にもどる小舟に同船したバルバリーゴに、ヴェニエルは、吐き出すような口調で言った。

「生っちろいマドリードの陰謀家どもほど、彼らの王にふさわしい人種もいない」

二回目の作戦会議では、偵察《ていさつ》船を派遣することが決まった。敵方の動静をよりくわしく知る必要には、誰一人異存はなかったのだ。

ただし、レクエゾス卿は、その任務にスペイン船を使うよう提案した。ヴェニエルはこれに、断固とした口調で反対する。東地中海は、われわれのほうが知っている、と言ったのだ。しかし、ヴェネツィア船のみを偵察行に送ることは、スペイン側が承知しない。それで、コロンナが提案し、ドン・ホアンが賛成した折衷案をとることに決まった。つまり、艦長がスペイン人で船乗りの長がヴェネツィア人の偵察船を送りだすと決まったのである。

このような有様では、連日開かれる作戦会議の進展も、遅々としたものにならざるをえなかった。そのうえ、さらに、言語の問題がある。スペイン人たちはスペイン語で話すので、それを知らないヴェニエルには通訳が必要だ。通訳はコロンナでもできたのだが、ヴェニエルは、スペイン派とされているこのローマ貴族の通訳を信用しない。それで、完全ではなかったがスペイン語のできるバルバリーゴが、スペイン語とイタリア語の間を往復することで、話が通じあうようになったのであった。

といっても、通訳なしではまったく話が通じなかったというわけではない。スペイン側もヴェネツィア側も、互いに少しは話せたのだ。とくに、怒りの言葉は、なぜか通訳しなくてもただちに理解しあえたのである。

九月二日、クィリーニひきいる六十隻《せき》からなるクレタからのヴェネツィア第二艦隊が、メッシーナに入港した。同じ日の夕刻、ジェノヴァを出港していたドーリア艦隊の二十二隻も入港を果す。そして、翌三日には、サンタ・クルズ侯爵《こうしゃく》ひきいる南イタリアの艦隊も到着した。

これで、予定の全船が到着したことになる。総司令官の旗艦上で行なわれる作戦会議には、マルコ・クィリーニとジャンアンドレア・ドーリアという、地中海ではトルコの海賊ですら知っている顔が並ぶことになった。作戦会議も、この練達の二人の海将を迎えて、具体的な事項を次々と決定できるはずと思われた。だが、ドン・ホアンの顧問レクエゾス卿は、偵察船の帰りを待つことを主張してゆずらない。これは理由のないことでもなかったので、まずは帰還を待つということになった。そのために、また四日が無為に過ぎた。

ヴェネツィアの指揮官たちだけは、いつでも出港できるようにと、メッシーナ市が提供した宿泊先を使わずに、港に錨《いかり》をおろした船の上での寝とまりをつづけていた。それだけに、出港の期日さえいっこうに定まらない現状は、彼らを、いつ終るともわからない拷問《ごうもん》を受けると同じ状態においていたのである。怒りを爆発させるヴェニエルにも、それをすることは立場上許されない副官たちも、気持の上ではまったく変りはなかった。

ファマゴスタは、一年を過ぎた今でももちつづけている。だが、これ以上の抵抗を籠城《ろうじょう》軍に期待するのは酷な話だった。連合艦隊にすべてを賭《か》けたヴェネツィアは、キプロスに、援軍も救援物資も送れる状態になかった。

それだけではない。ほぼ全海軍をメッシーナにもってきていたヴェネツィアは、選択の結果とはいえやむをえず無防備状態にしてきたギリシア近海で、トルコが勝手気ままに振舞うのを許してしまったのである。

コンスタンティノープルから南下していたトルコ艦隊の、前衛のような役割をまかされていた海賊ウルグ・アリは、十二分に任務を果しつつあった。

クレタ島の港のうち、カネアとレティモは略奪され、コルフさえ、一部にしても焼き払われる始末。その後にアドリア海を北上したウルグ・アリは、ダルマツィア地方の沿岸につらなるヴェネツィアの基地に次々と襲撃をかけ、クルツォラの島まで略奪してまわった。

クルツォラは、アドリア海の半ばに位置する。ヴェネツィア本国も、万一にそなえて防備態勢をひきしめる。そのうち、トルコ艦隊の本隊の接近まで報じられた。このような状態では、ようやく募集が完了した五千人の戦闘員を、メッシーナまで送ることなど夢になってしまった。たとえ輸送を強行したとしても、アドリア海を抜け出る前にすでに、トルコ艦隊の餌食《えじき》になっていたであろう。

これらの情報は、メッシーナにいるヴェネツィア艦隊にも逐一報じられていた。だが、その人々にはなにもできない。作戦会議の決定に、唯一《ゆいいつ》の望みを託すことしかできなかった。

九月七日、待ちに待った偵察船が帰ってきた。ヴェネツィア側の主張で、スペイン人の艦長とヴェネツィア人の船員長は、別々に報告することになった。

ヴェネツィア側の怖《おそ》れは、無駄《むだ》ではなかった。二人の報告の内容が、悲観的と楽観的とに分けてもよいほどにちがっていたからである。

まず、スペイン人の艦長の報告の内容は、次のようなものだった。

二百隻の軍船と他に百隻の輸送船からなるトルコの艦隊は、コルフからレパントに向っていること。

作戦会議に出席した人の中で、東地中海にくわしくないスペインをはじめとする国々の人は、このときはじめて、レパントという地名を耳にしたのである。レパント近海の事情は、ヴェネツィア人が説明しなければならなかった。

ヴェネツィアの船員長の報告のほうは、次のような内容であった。

相当に良好な状態のガレー軍船は百五十隻を数え、他に小型の輸送用の船がほぼ百隻というのがトルコ艦隊の実態であり、砲器に関してならば、トルコ船のそれは貧弱で、ヴェネツィア艦隊だけと比べても段ちがいに劣ること。また、封鎖作戦も一応成功と見たらしいウルグ・アリの船隊も、本隊と合流するために南下中だが、その規模と、レパント停泊中の船数は不明。

作戦会議の大勢は、ヴェネツィアの船員長の報告のほうに、より多く耳をかたむけたようである。ひとまずという感じだったが、閲艦式をすることに決まった。

九月八日、メッシーナの港いっぱいに、連合艦隊のすべての船が参加して閲艦式が行なわれた。

いずれも戦闘可能な状態の船だけが選ばれて整列する前を、総司令官ドン・ホアン以下の高官全員が乗りこんだガレー船が、ゆっくりと通りすぎる。

二百三隻のガレー軍船、六隻のガレアッツァ、フレガータと呼ばれる五十隻の小型ガレー船、そして、三十隻からなる輸送用の大帆船である。フレガータとは、後のフリゲート艦の語源になる船で、三角帆をつけた二本の帆柱をもち、三十人の漕《こ》ぎ手《て》を要し、十人の船乗りを配する、命令の伝達や偵察用の快速船だった。これを普通、各部隊は二隻はもっている。

閲艦式に参加した各船には、船乗りや漕ぎ手はもちろんのことながら、戦闘員たちも、出陣のときと同じく全員乗りこんでいる。各船には、さまざまな国旗や紋章旗がひるがえり、戦闘員は、法王の甥《おい》から一兵卒にいたるまで、甲冑《かっちゅう》や戦闘衣に身をかため、武器をかたわらに、甲板上に整列する。ドン・ホアンの船が通りかかると、この人々の間から、期せずしてときの声がわきあがった。南国の蒼《あお》い空の下、青よりも濃紺に近い南の海を舞台にくり広げられるページェントは、参加する人々の胸を高揚させずにはおかなかったであろう。とくに、これによって与えられた刺激は、若いドン・ホアンにはより強烈であった。

少しずつにしても変りつつあったドン・ホアンの心の変化が、この日のページェントを境にして決定的になったのに、フェリペ二世から意をふくめられて総司令官のそばを片ときも離れずについている、二人のスペイン人は気づかなかったようである。

レクエゾス卿は王から与えられた自らの地位を過信し、ドン・ホアン専用の聴聞僧フランシスコは、神から与えられたと思っている自らの立場を過信していた。

ところが、二十六歳の若者の心中では、スペインではあれほども異母兄にたたきこまれ、メッシーナまでの海路では、この二人の側近から説得されつづけたスペインの国益よりも、自らの胸中に燃えあがった名誉心のほうが、勝ちを占めつつあったのである。

ただ、スペイン王フェリペ二世が意とするところを代弁するのは、この二人だけではなかった。王に傭《やと》われ、王の艦隊を指揮することになっている、ジェノヴァ人の海将ドーリアがいた。

閲艦式の翌日に開かれた作戦会議でも、ドーリアはまずはじめに発言を求める。

ドーリアは、いまだ三十二歳の若さだった。ジャンアンドレアという彼の名自体が、アンドレア二世とか小アンドレアを意味しているように、高名な海の傭兵《ようへい》隊長であったアンドレア・ドーリアの後を、二十歳の年に継いで十二年になる。

肥《ふと》り気味の小男で、この面では、九十歳になっても黒鷹《くろたか》のようであった伯父に少しも似ていなかった。若禿《わかは》げを恥じてか、戦場ではかぶとを脱がず、普段でも帽子を離さない。ただ、ドン・ホアンの前では脱いでいる。ジェノヴァ人だが、傭兵隊長だけに、自前の軍船と船乗りと戦闘員をもち、海運国とはいえないスペインに傭われ、実際上の海軍をうけおっていた。

その彼にとっては、戦いは勝つ目的のみでなされるのではない。職業であるだけに、死んでは終りなのである。そのうえ、スペイン王から受けた密命もあった。作戦会議での彼の発言は、次の二点に向けられる。

ヴェネツィア船の戦闘員数が極端に不足していて、これではトルコと対戦しても勝つ見こみは薄いこと。

第二は、もはや九月半ばという時期では、これから敵を求めて出港するには遅すぎる、ということだった。

ヴェネツィア船の戦闘員不足は、スペイン側も問題にしていた点であった。前年の疫病《えきびょう》の影響と、五千人を本国に釘《くぎ》づけにされてしまった現状が、スペイン船ならば一船につき二百人の戦闘員のところが、ヴェネツィア船となると、八十人という差になってあらわれていたのである。

ヴェネツィア側は、漕ぎ手も自由民のヴェネツィア船では、彼らも戦闘員に転化できると言って反論したが、ガレー船同士の海戦では、これでは説得力が充分とはいえない。

しかし、あせるヴェネツィアには、この問題を議論しあう時間さえ惜しかった。ヴェニエルも、不承不承ながらも、ドン・ホアンの提案を受けるしかなかったのである。スペイン船の戦闘員の一部を、ヴェネツィア船に貸すという案であった。これは、ヴェネツィア共和国への忠誠心で共通している、ヴェネツィア貴族の指揮官、ヴェネツィア市民である技師や船乗り、そしてダルマツィアのヴェネツィア基地出身者からなる漕ぎ手だけでかためていたヴェネツィアの軍船に、異分子をかかえこむということでもあった。ヴェニエルがこれに最後まで抵抗したのも、士気の統一というこの理由があったからである。だが、秋は深まるばかりだ。背に腹は代えられない気持だった。

この問題が解決した後も、ドーリアはまだ、すでに時期遅しの見解は変えようとはしなかった。怒り心頭に発したヴェニエルは立ちあがり、いかに王室用の船でも船橋にある船室の天井は低いので、群を抜いて背の高いヴェニエルが立ちあがると、天井が突き抜けそうな感じになるのだが、そんなことなどかまわずヴェネツィアの老将は、周囲を圧する大声で叫びはじめた。

「それなら、はじめからやりなおそうとでも言いたいのか！」

そして、ドン・ホアンの前でも遠慮なしに周囲をにらみまわした後で、低いが各人の胸ぐらをつかむような声で言った。

「誰かまだいるのか、この不名誉な状態をこれ以上つづけたいと思っている奴《やつ》が」

皆、黙っていた。しばらくして、コロンナがようやく口を開いた。

「ヴェニエル殿、発言は自由なのです。だから、誰でも発言はできる。ただし、決定は、われわれ三人のうちの二人が合意に達すれば、残りの一人はそれに従うことになっている」

ヴェニエルは、間髪を入れずに答えた。

「それならば、ドーリアには決定権はない」

そして、つづけて、自分はより早い出陣を主張する、と言った。これに押し出されるような感じで、心は決まってはいたのだが口に出すのは慎重なコロンナも、出陣に賛成を表明した。

皆の眼は、いっせいに、中央に坐《すわ》るドン・ホアンに向けられた。いかにここでドン・ホアンが反対しようと、二対一の結果になり出陣は決まるはずだが、これまでのスペイン側の出方からみても、横紙破りの言動に出る怖れは、充分すぎるほど予想できたからである。それに、総司令官の一票は、重さがちがった。

若者のいつもの青白い顔は、その少し前からだんだんに赤味をおびはじめていたのだが、立ちあがったときは、燃えるような顔色になっていた。そして、出陣と決めよう、と言った。

作戦会議の空気は、この一言でさすがにどよめいた。ついに決まったのだと、ヴェネツィアの海将たちは、自らの胸に確認する想いだった。

二十六歳の若者には、忘れられなかったのである。二百隻をうわまわる大艦隊をひきいるのが自分なのだという想いと、それを従えて、四十年近くもの歳月、地中海の主《あるじ》のごとく振舞ってきた異教徒トルコを撲滅《ぼくめつ》できるかもしれないという想いが、若者の心を燃やしていたのであった。

このたびはじめて見た、ガレアッツァと呼ばれるヴェネツィアの新型船の偉容も、胸を熱くしないではおかなかった。まるで、海に浮んだ要塞《ようさい》だった。これらの船からなる艦隊を、使わないで次の年まで温存するなど、許されてよいこととは思えなかった。それに、庶出の王子の身分には、来年もという保証はなにもない。若者は、今年に賭《か》けることに決めたのである。

二人の側近が、異端裁判所の判事のような目つきで自分を見ていることなど、燃えあがった若い心の前では、もはやなにほどのものでもなくなっていた。

出陣と決まれば、後は具体的な事柄《ことがら》が苦労もなく決まってくる。

出陣の日は、九月十六日と決まった。キリスト教徒にとっては聖なる日の、日曜日にあたっていたからであった。

メッシーナ——一五七一年・九月

シチリアのメッシーナの港から出陣することに決まった連合艦隊の規模は、次のようなものであった。

ガレー軍船	二〇四隻《せき》
ガレアッツァ	六隻
小型快速船	五〇隻
大型輸送帆船	三〇隻
大砲	一八一五門
船乗り	一三〇〇〇人
漕《こ》ぎ手《て》	四三五〇〇人
戦闘員	二八〇〇〇人

大砲の多くは、とくに撃ち出す砲丸が大きくなればなるほど、「浮ぶ砲台」の別名をもつガレアッツァに積みこまれている。動きの自由を身上とするガレー軍船には、大きなものは積めなかった。

純戦力となるガレー軍船とガレアッツァだけを見ても、ヴェネツィアは、総数二百十隻のうち、百十二隻で参加している。半ば以上の比率になる。

だが、同じ戦力でも戦闘員の数となると、支配下の南イタリアやジェノヴァから徴集したといっても、スペイン王の名による参加数は、ヴェネツィアのそれの三倍にあたった。これは、全戦闘員の四分の三の給料を、スペイン王が支払うということでもある。

総計二万八千にのぼる戦闘員だが、これも、各ガレー軍船に均等に配分されるわけではない。ドン・ホアンの提案で、戦闘員不足のヴェネツィア船にスペイン兵も乗りこむとは決まったが、マルタもジェノヴァもサヴォイアも、大将が乗船するからにはその船には部下を乗船させたがる。それで、一船につき百人足らずのヴェネツィア船から、百五十人平均のスペイン船、さらに百八十人を越える船までと、各船の戦闘員数には差が出ざるをえなかった。

スペイン兵乗船を飲まざるをえなかったヴェネツィアだが、海戦の鍵《かぎ》になる主力船は、ヴェネツィア兵のみでかためる慣例をつらぬいた。六隻のガレアッツァにも他国の兵は一人として乗っていなかったし、総司令官ヴェニエルと参謀長バルバリーゴの船はもとより、参謀クィリーニとカナーレの船も純血主義を守った。

作戦会議は、出港日を決めた後も連日開かれたが、そこで決まった諸事項は次の事《こと》柄《がら》だった。

まず、予想される海上での会戦にそなえて、陣容が決められた。左翼、本隊、右翼と三分され、この他《ほか》に予備隊もおかれる。これは遊撃部隊であって、激戦海域に随時応援に馳《は》せ参じるのが任務だった。

キリスト教諸国が参加する連合艦隊なのだから、本陣がおかれる本隊での、総司令官ドン・ホアン乗船の旗艦の位置が最初に決まる。陣容の、ほぼ中央になる。この、連合艦隊の総大将の船の左隣りには、ヴェネツィア艦隊の総大将ヴェニエルの船がくる。そして、ドン・ホアンの船の右隣りは、法王庁艦隊のコロンナの船がかためるという陣容だ。

スペイン側は当初、王弟にもしものことが起ってはということを大義名分に、ドン・ホアンの船の両わきには、スペイン船を配置することを主張してゆずらなかった。

この二隻には、御目付役のレクエゾス卿《きよう》以下スペイン王の重臣たちが乗りこむという。戦場でも、若い公子を視界内においておきたかったのであろう。

しかし、これは、海戦に不慣れなスペイン船に囲まれていては、総司令官の安全のためにはかえって危険だという、ヴェニエルの反対に出会ってしまう。だが、このときもコロンナの調停で、ドン・ホアンの船の背後ではどうかということで妥協が成り立った。二隻の御目付船は、ドン・ホアンの船の船尾に、二隻の船首がくっつくような形で、配置されることになったのである。

本陣をかかえる本隊は、計六十二隻のガレー軍船で構成され、スペイン、ヴェネツィア、法王庁艦隊の最高位者乗船の旗艦が集中する中央部以外にも、各参加国の旗艦が目白押しに舳先《へさき》を並べる隊となった。マルタの聖ヨハネ騎士団もジェノヴァ共和国もサヴォイア侯国も、旗艦はこの本隊に参加する。

本隊所属の船を他と区別するための旗の色は、空色と決まった。ちなみに、左翼は黄色、右翼は緑色、後衛としてひかえる予備船隊の旗は、白旗である。

黄色の旗印の左翼は、五十五隻のガレー軍船で構成され、この隊の総指揮は、ヴェネツィア海軍の参謀長アゴスティーノ・バルバリーゴにゆだねられた。

だが、バルバリーゴの船の位置は、左翼の中央ではない。左翼でも、最も左端にある。連合艦隊の陣容の中でも、最左翼をかためる役も課されたわけだった。

このバルバリーゴの船のすぐ右隣りには、参謀カナーレの船がくる。左翼艦隊の右端をかためるのも、参謀クィリーニの船だった。

本隊も左翼も右翼も、それらを構成する軍船は、同じ国の船だけでかたまらず、各国の船が入り混じることに決まっていた。

キリストの名のもとに異教徒と闘う、神聖同盟の連合艦隊なのである。参戦する人々は、それぞれの所属国家や騎士団を忘れ、一体となって闘う証《あかし》として考えだされた案であった。

だが、船ならばヴェネツィア共和国が圧倒的に多い。それで、本隊と右翼では混合は実現したが、左翼は、事実上のヴェネツィア艦隊になってしまった。この隊では、五十五隻中、実に四十三隻までが、ヴェネツィア船で占められていたのである。

一方、五十七隻のガレー軍船からなる右翼艦隊は、スペイン海軍の傭兵《ようへい》隊長ドーリアが指揮する。この隊にも二十五隻のヴェネツィア船が配属されたが、彼らも、戦いがはじまれば、いかに嫌《きら》っていたにしろ、このドーリアの指揮に服するのだった。練達の海将ドーリア乗船の船は、右翼艦隊の最も右端に位置していたから、連合艦隊の最右翼を守ることになる。

予備でもある後衛だが、三十隻からなるこの隊のガレー軍船の指揮は、ナポリの有力者でスペイン王の家臣でもあるサンタ・クルズ侯が受けもつことになった。ここでは、スペイン人が艦長をつとめる船は十六隻を数え、十二隻のヴェネツィア船を、数ではじめて陵駕《りょうが》することになる。

この陣容を一見するだけでも、海戦に慣れたヴェネツィアやジェノヴァ人の船が、陣容の要所要所を締める役を負わされていたということがわかる。トルコとは戦い慣れたマルタの聖ヨハネ騎士団の三隻が、本隊の右端に並んで配置されたのも、同じ理由による。そして、総司令官ドン・ホアンの船の周囲を、軍備が充実し、船自体の造りも頑丈《がんじょう》で大きな旗艦の群れでかためたことと、陣容の最左翼と最右翼を、ヴェネツィアのバルバリーゴとジェノヴァのドーリアにまかせたことは、この連合艦隊に、敵と海戦を交じえる意志がはっきりとあることを示してもいたのであった。

おそらく、多くの人にとっては、決まったからには早く実行に移したいという想《おも》いのほうが強いのであろう。スペイン王の家臣たちをのぞいて、九月十六日は、待ちわびた出陣の日となった。

港の入口をかためる要塞《ようさい》から次々と鳴りひびく祝砲の中を、まず、前衛のガレー船八隻が出港する。ガレー軍船六隻に小型快速船二隻だ。これらの船には、日中は三十海里四方の偵察《ていさつ》の任務が課され、夜は、友軍とは十海里の距離で航行するよう指令が与えられた。戦闘開始ともなれば、小型快速船以外の船は、本隊内の所定の位置にもぐりこむことになっている。

前衛隊の後には、六隻のガレアッツァが次々と出港する。早朝時とて風は凪《な》いでいるので、小型快速船に引かれての出港だ。この六隻の「浮ぶ砲台」は、敵軍と出会うやいなや、最前線に出る任務がある。砲撃で敵陣を乱すことによって、戦力の主体であるガレー軍船の出場を完璧《かんぺき》にするためだった。

この後に、六海里離れて、ドーリアの旗艦を先頭にした右翼艦隊が出港する。いずれも、緑の旗を船首にかかげての出陣だった。五十七隻は、三列縦隊になって出発する。

前衛にまわした六隻をのぞく、五十六隻のガレー軍船からなる本隊の出港は、各国の旗艦の集中する隊だけにひときわ華やかだった。ドン・ホアンの船の左右には、ヴェニエルとコロンナの船が舳先を並べて進む。ドン・ホアンの船の櫂《かい》は白色に輝やき、ヴェニエルの船の櫂は真紅の一色。全船が、空色の旗をかかげた船首を、波に切りこむようにして進む。

左翼を守る五十五隻が、この後につづいた。先頭を切るのは真紅に塗られたヴェネツィアの旗艦で、左翼の総指揮官バルバリーゴ乗船の船である。この五十五隻の最後に出港したのは、参謀クィリーニの船で、敵に出会い海上で陣型をととのえるときには、バルバリーゴの船はとどまって待ち、クィリーニの船が右にまわりこむことによって、この二船が両わきをかためる左翼の陣型が完成するようになっている。黄色の旗が、各船の船首にひるがえっていた。

サンタ・クルズ侯ひきいる後衛が出港したのは、もはや正午に近い時刻になっていた。白旗をかかげた三十隻は、風の出てきた時刻ゆえ、全速力で先を行く友軍を追う。ダヴァロス侯のひきいる三十隻の帆船も、風の恩恵を充分に活用しての出港だった。ガレー船に引かれることもなく、この帆船の一隊も、白い水鳥の群れが遠ざかるように、メッシーナの港を後にした。

ことの意外な進展に怒ったフェリペ二世が、王の名でドン・ホアンに帰還を命じた手紙を送ったのだが、それがメッシーナにとどいたのは、艦隊が出陣した後だったのである。

イオニア海——一五七一年・九月

　メッシーナ出港時は順序よくくり出した連合艦隊だったが、潮の流れの早い海峡を渡り、対岸のイタリア半島の南端にくる頃《ころ》には、順序などないも同然の状態に変っていた。

　船をあやつる船乗りの腕しだいでもあるのだが、各国の旗艦が集まるだけに、追い越されたりすると名誉の問題になってくる。航行中というのに、サヴォイアの旗艦とマルタの聖ヨハネ騎士団の旗艦の間で、どちらが先に行くかで争いが起った。定められた順列ならば、本隊の右端に配属された騎士団長の船に、先を進む権利がある。だが、サヴォイアの船は、それを承知しない。総司令官ドン・ホアンは、このようなつまらないことにも判定をくださねばならなかった。

彼は、サヴォイアの旗艦のほうに先に行くよう命じた。三隻《せき》しか提供していないが、サヴォイア侯国の旗艦には、ウルビーノ公爵《こうしゃく》とその配下の武将たちが乗船している。サヴォイア侯とウルビーノ公への配慮から、この船は、本隊の中でもコロンナの船のすぐ右隣りという、いわば本陣内の位置を与えられていたからであった。

この程度の小さな事故は起ったが、そして、帆をあやつる技能だけでも、海運国の伝統のあるイタリア諸国と、それのないスペイン船の船足には差が出てくるのはやむをえなかったが、順列は崩れても、右翼、本隊、左翼に分れた群れは守って、航行はつづけられた。

九月十八日、メッシーナ出港から三日目、艦隊は、イタリア半島の南端、長靴《ながぐつ》に似たそれのつま先の部分をまわり、イオニア海に入った。

天候は、いまだ良好。二百隻以上の船が一団となって進む様は、なんと言おうと壮観だ。だが、海岸線には、それを賞《め》でる人影もなかった。長年のイスラム勢の横暴で、住民の多くは安全な山地に逃げこんでしまっていたからである。トルコ海軍で華々しい戦果をあげているウルグ・アリも、この地方のカステッラという名の漁村に生れ、十六歳の年に襲って来たトルコの海賊にさらわれ、奴隷《どれい》に売られていたという経歴をもっている。南伊一帯では、イスラムの海賊の被害を受けなかった港町はないといわれるほどであった。

連合艦隊は、長靴のつま先から土ふまずに向う感じで、この南イタリアの沿岸ぞいに北東に進む。船乗りたちが「円柱の岬《カーポ・デッレ・コロンネ》」と呼ぶ地の沖合にきたのは、九月二十日の朝だった。メッシーナ出港から数えれば五日目なのだから、ここまでの航海は順調にいったことになる。

順調な航海が余裕を与えたのか、ドン・ホアンは、ここにきて全船休息の命令を出した。海に慣れた人々が、空の様子が危いと言って反対したのだが聴きいれない。結局、全艦隊は、山陰に錨《いかり》をおろして休むことになった。ドン・ホアンは、伝令船をヴェニエルのところに送り、このすぐ近くのクロトーネの町に駐在している六百人の兵を、ヴェネツィア船の戦闘員補充にあててはどうか、と言ってきた。

ヴェニエルは、副官のバルバリーゴにも相談せずに、即座に断わった。六百の兵を乗船させるための時間の無駄《むだ》を、彼は怖《おそ》れたのだ。一刻も早くキプロス救援に駆けつけたい想いのヴェニエルは、ドン・ホアンの提案をもってきた伝令に、反対に彼からの提案を渡した。ここから一気にザンテの島を目指してイオニア海を横断する、という案である。だが、これにドン・ホアンが回答を与える前に、天候が一変したのであった。

その夜、すさまじい暴風雨が、連合艦隊を襲った。北からの強風は海をふくらませ、大波をもろにかぶった船は、船底まで水びたしになる。これには、陸上では敵なしの偉容を誇る貴族や騎士たちも、完全に意気をそがれ、はじめて海の上にいる恐怖で打ちひしがれてしまった。

二十日、二十一日と、海はいっこうにおさまらない。順列などはどこへ行ったかという有様で、それを争っていた船同士も鎖で互いにつなぎあい、漂流を避けるのに懸命だった。

二十一日の夜半すぎた時刻になって、ようやく海はおだやかさを取りもどした。だが、ここ数日の海の荒れ様は、ここからは寄港の可能性もない開かれた海の真中に乗りだし、一気に東に向けてイオニア海を横断するというヴェニエルの案を、完全につぶしてしまった。貴族や騎士たちは、総司令官に向って、口々に陸づたいの航行を訴えた。それでも、土ふまずの奥にあるターラントの港までまわってとは、誰《だれ》も言わなかった。かかとにあたるサンタ・マリア・ディ・レウカに行くのならば、彼らとてさして不安ではなかったのだ。海も、帆走には適した程度の静けさは取りもどしていた。

九月二十三日の朝、艦隊はサンタ・マリア・ディ・レウカの岬《みさき》を認めるところまできた。ここからは、どんなに海を怖れる者でも、陸地を常に見ながら航行する、などとは言っていられない。アドリア海の出口にあたるこの海域一帯は、コルフ島に着くまでは、海に乗り出し東に進むしかないのである。

九月二十四日の朝、順調な航海に恵まれた連合艦隊は、水平線上にコルフの島影が認められるところまできていた。ギリシア側に渡ったことになる。

コルフの近海には小島がいくつか散在しているが、その中の一つは、サモトラケの島といった。この島を中心とした海域で、遅れてくる船を待ち、その後でコルフの港に入ることになった。ヴェニエルの船だけは、一足先にコルフに向う。コルフ島はヴェネツィア共和国の重要基地なので、総司令官ドン・ホアンを、ヴェネツィアとしては礼をつくして迎える必要があった。ヴェニエルは、その準備のために先行したのだ。

だが、サモトラケの近海での全船集合が、なかなか順調に行かない。海が再び荒れ模様に変ったのだ。北西の冷たい風が吹きつけ、海深の浅いこのあたりでは、波がただちに風に反応する。このために、全船のコルフ入港が完了したのは、九月二十六日になってからだった。

す。港の入口にそびえ立つ城塞《じようさい》から鳴りひびく祝砲の中を、連合艦隊は次々と入港を果す。コルフでは、商船用の港まで開放して、この大艦隊を迎え入れた。さすがにヴェネツィア共和国が、「ヴェネツィアの湾」と呼ぶアドリア海の出口をまかせるだけあって、コルフの港に突き出た岬にそびえ立つ城塞の偉容は、海の防衛というものを知らない人々を驚嘆させるに充分だった。それに、このコルフからは、対岸の陸地が、近接しているところならば眼前に迫る感じで、コルフの港からでも紫色に煙って眺《なが》められる。そこはもう、トルコ帝国の領土なのであった。

ウルグ・アリの襲撃の跡は歴然としていたが、大城塞に守られた港は安全だった。トルコ兵たちは、島の中でも守りの手薄な地帯に上陸し、焼き払って引きあげただけなのだ。

また、ここコルフでは、トルコ艦隊についての最新で正確な情報にも接することができたのである。

アリ・パシャひきいるトルコの大艦隊は、いまだギリシアの海を離れていないということだった。規模は、小型船をふくめて三百隻近く、ウルグ・アリの船隊も合流したようであった。主力は、レパントに停泊中という。コルフとレパントの間には、数日の航程がへだてるだけだ。にわかに、敵が身近に感じられた。

このコルフで、バルバリーゴは、幾通かのフローラからの手紙をまとめて受けとった。日をおいてとどいていたのが、メッシーナに回送されなかったからである。彼はそれを、一人になる時間ができしだい、何度もくり返して読んだ。本国での母子二人の日常が、戦いの場にいる者にはなつかしい安らかさで営まれている様子が、日々の生活を報告する形のそれらの手紙からうかがわれるのだった。

男も、女に返事を書いた。だが、以前に書きおくった手紙のように、一日ごとの彼の行動を記したものではなかった。メッシーナにドン・ホアンを迎えてから後は、女に手紙を書くための時間の余裕も心の余裕ももてなくなっていたのだ。一ヵ月もの空白の後に、再び以前の習慣を取りもどすのはむずかしい。また、レパントに敵がいると確認した今、男の前には戦いがあるだけだった。そのバルバリーゴに、これからも永遠に今の状態がつづくかのように淡々と、一日ごとの行動を列記していくことはもはやできなかった。

といって、どう書くとはっきりわかっていたわけではない。それで、胸のうちにわき起ってくる想いをとりとめもなく書きつづっていく結果になったが、こうなると手紙は、いつになく優しい調子にあふれてはいても月並なものになるのが、男を苦笑させ、少しばかり不満でもあった。

寒さに注意するように、と書いたら後がつづかなくなるという具合だ。それでも、このようなことで文面を埋めた後に、男は、次の手紙はコルフにもどってからでなければ書けないと思うから、しばらくは手紙が行かなくても心配しないように、と書き加えた。

その後にまた、身体《からだ》に気をつけるように、と書いて筆をおいた。ところが読み返してみると、身体に気をつけるように、という一行を、同じ手紙の中で三回も書いていたのに気がついた。これには、バルバリーゴは声をあげて笑ってしまい、なにごとかと思った従僕《じゅうぼく》が、部屋の扉《とびら》を開けたほどだった。

この手紙も、元老院からの文書をとどけてきた快速船に乗って、ヴェネツィアに送られるはずだった。十日もあれば着くだろう、と男は思った。元老院からの文書には、トルコ海軍との対決には、ヴェネツィア共和国の全国民あげての支援を背に、全力をつくして闘われたし、とあった。

ギリシアの海——一五七一年・十月

コルフで開かれた作戦会議では、スペイン側が新案を提出していた。トルコ艦隊の規模は強大で、海戦をしても勝利は危いから、ひとまずギリシアのネグロポンテまで行き、あの地を占領しようではないか、というのである。

これには、またもヴェニエルの怒声が鳴りひびいた。敵はすぐ近くにいるというのに、その前を通りすぎてネグロポンテまで行ってどうなる、というわけである。スペイン側とヴェネツィア人の間の空気は、険悪になるばかりだった。

それでも、コルフのすぐ対岸にある港、イグメニッツまでは行くと決めて、コルフからの出港は実現したのである。九月は終り、十月がはじまっていた。

事件が起ったのは、そのイグメニッツを出て、パクソス島も過ぎ、サンタ・マウラの島に向って南下中の一日だった。

首脳部同士が険悪になれば、その空気は、配下の兵たちにまで浸透せずにはいない。いや、兵士たちは日頃《ひごろ》の不満に理由を与えられた想《おも》いで、大将たちが口であらわす気持を、腕であらわしてしまうものなのだ。

メッシーナの港にいた時から、スペイン兵とヴェネツィア人との間はうまく行っていなかった。とくに、ドン・ホアンの提案で、戦闘員不足のヴェネツィア船にスペイン兵が配属された頃から、それは一段と露骨になったのだった。

地中海世界でのスペインは、大国ではあるが新興の国家である。一方のヴェネツィアは、大国ではあったがそれは過去のことだ。この連合艦隊に全力を投入している一事がいみじくも示すように、これに国の存亡を賭《か》ける想いであったのはヴェネツィアのほうで、スペインではなかった。

また、新興の民はえてして、過去に栄光を浴びた国の民に対して、横柄《おうへい》な態度で接しがちである。とくに、自分たちの存在が相手方にとって必要なことが明らかな場合、しばしば、相手方にすれば耐えがたい振舞いに出ることが多い。ヴェネツィア船の一つで起ったことも、これに類する事件であった。

航行中の船では、船をあやつる役の船乗りたちが、一番の重要人物になる。三角帆のガレー船では、風の向きが変るたびに帆桁《ほげた》をおろし、その風に適した向きに変えたり別の種類の帆につけ替えたりした後で、あの長くて重い帆桁を、再び帆柱にそって引きあげるという作業を欠くわけにはいかない。そのたびに、両側の舷《げん》ぞいに並ぶ漕《こ》ぎ手《て》たちの列の間の通路は、この作業を敏速に手ぎわよくやるための戦場と化す。

もちろん、船乗りたちは慣れており、とくに軍船に配属される彼らの技能は特別に優れていたが、一メートル前後の幅しかない中央の通路に、手もちぶさたの人間がウロウロされていては困るのだ。たとえその人物が王侯の位にある者でも、船乗りたちの怒声を浴びないではすまないのであった。

この事情を、海運国の伝統のないスペインの武将たちは知らなかった。

それに、航行中の軍船に乗っている戦闘員くらい、手もちぶさたな人種もいない。彼らの仕事は、敵船に接近できたときからはじまるのである。大将たちは戦術を練ったりして暇をつぶすこともできたろうが、隊長や兵卒階級となると、順調に航行中ならばなおのこと、時間を殺すのも容易ではなかった。

ヴェネツィア船の場合だと慣れていて、戦闘員として乗船していても、暇つぶしのためもあって船乗りたちの仕事を手伝う者が多い。また、船乗りに転職してもかまわないくらいの熟練者も少なくなかった。

しかし、海運国でもなく、そのうえ武器を使う階級に属す誇りがことさらに強いスペインやフランスの騎士たちには、船乗りの仕事に手をかすなどということは、はじめから頭にない。また、未熟者に手を出されては、手伝われるほうも迷惑するのだった。それで、ヴェネツィア船に乗っているスペイン兵たちは、ついつい船首に行ってみたり船橋にもどったりで、船の中央の通路が混みあう原因をつくってしまったのである。

これだけでも頭にきていたヴェネツィア人に、メッシーナ出港以来耐えつづけてきた、スペイン兵の横柄さへの怒りも加わる。その状態の中で、忙しい作業中にもかかわらず漫然と通路を散歩中のスペイン人の隊長に、船乗りの一人から罵声《ばせい》がとんだ。それを聴き捨てにしなかった隊長と同僚三人が、たちまちその船乗りをとりかこみ、囲みが解けた後には、哀れな船乗りの死体が横たわっていた。

これには、他の船乗りと漕ぎ手たちまでが騒然となった。同船していたヴェネツィア人の戦闘員も駆けつけてくる。船上は争いの渦《うず》にまきこまれ、それを知ったヴェニエルの小舟が、船腹に横づけされた。

ヴェニエルは、ただちに、この船の艦長から事情を聴き、四人の容疑者を連れてこさせた。そして、即決で、彼らに死刑を言いわたした。ヴェネツィア船上にある者は、たとえ他国人であろうと、ヴェネツィア海軍総司令官の監督下にあるという理由だ。死刑も、戦闘に際して秩序を乱した罪に科される刑で、理論的にはこれも合法だった。ヴェニエルのくだした判決は、待っていたとばかりに、漕ぎ手たちの手で実行された。四人のスペイン兵は、帆桁に並んでつるされた。

しかし、これを知ったドン・ホアンが、今度は激怒したのである。二十六歳のスペインの公子は、連合艦隊の総司令官という地位を、ますます強く意識するようになっていた。それだからこそ、異母兄が喜ばないことがわかっていながら、王からつけられていた顧問たちの意見に反してまで、敵を求めて航行中だったのである。

その自分に一言の相談もなく、ヴェニエルは独断でスペイン人を処罰したのだ。ドン・ホアンは、ヴェニエルの行為を、総司令官の地位に対する冒瀆《ぼうとく》と受けとったのであった。

ドン・ホアンは、ヴェニエルを呼びつけもしなかった。呼びつけられたのは、バルバリーゴである。怒りで蒼白《そうはく》になったドン・ホアンは、そのバルバリーゴに向って言った。

「ヴェニエルは、帆桁につるされたスペイン兵と同じ刑に処される」

これに、バルバリーゴは、いつもの静かな口調ながら、きっぱりと言い返した。

「殿下、そのようなことが実施されでもしたら、ヴェネツィアの全艦隊は、以後独自の行動を取らざるをえなくなりましょう」

これは、ドン・ホアンの次の言葉を封ずるに充分だった。その間を、同席していたコロンナは無駄《むだ》にしなかった。またも調停役をかって出たコロンナは、ヴェニエルを作戦会議からはずすということではどうであろうか、と提案する。ドン・ホアンは、少し考えた後で、賛意を表した。バルバリーゴも受けいれる。作戦会議でのヴェネツィア側の首席は、以後はバルバリーゴがつとめることになった。

連合艦隊は、南下を再開した。

ところが、この二日後にとどいた一つの知らせが、分裂直前にまで行っていた連合艦隊の気分を、メッシーナ出港の日にもどったかのように、統合するのに役立つことになる。その知らせは、キプロスからヴェネツィア本国に向けて航行中だった、一隻《せき》の小型のガレー船によってもたらされたものであった。

「ファマゴスタ陥落」の知らせは、艦隊全体を、驚きと怒りで満たさずにはおかなかった。

陥落はなんと、八月の二十四日に起っていたのである。ドン・ホアンがメッシーナに到着した、一日後に起っていたのだった。その知らせのこれほどの遅れは、知らせを本国にもたらす人もいないほどに、籠城《ろうじょう》軍が皆殺しにあっていたからだ。

ファマゴスタの近海は、攻防戦が激しさを増した五月以来、トルコ海軍による厳重な封鎖作戦で、近づけた船はクレタからのものでも一隻もなかった。それでも、ファマゴスタとは反対側にあたるキプロスの南岸からは、クレタ在住のヴェネツィア人が、情報を得るだけにしても潜入に成功していた。一年間にわたる攻防戦の後のファマゴスタ陥落の知らせも、これらの人たちによって得られたのである。彼らのなかには、ギリシア人に化けて、陥落直後のファマゴスタに潜入した者もいた。

トルコ軍の指揮官ムスタファ・パシャは、一年にもおよんだ籠城戦の果て、兵糧《ひょうろう》もつき、武器も弾薬もなく、援軍の到着にも絶望した籠城軍に、無事に島を去らせることを条件に降伏をすすめたのである。籠城軍をひきいていたブラガディンは、配下のヴェネツィア人やその他の住民の身の安全は絶対に保証すると言われて、ついに開城のすすめを受けいれた。

しかし、トルコの指揮官は約束を守らなかった。開城後、まずヴェネツィア人が、貴族であろうと商人であろうと関係なく、残忍なやり方でいたぶられた後に、全員が斬殺《ざんさつ》された。籠城軍に加わっていたギリシア人は、老齢者と幼なすぎる子供たちは殺され、他は奴隷《どれい》に売りとばされた。

これらすべての場に同席させられたブラガディンには、一年間もトルコ軍に抵抗した罰として、特別な死が用意されていた。

ヴェネツィアの武将は、まず、生きたままで全身の皮膚をはぎ取られた。そして、そのままの身体で、海中に何度となく突き落とされる。それでも息の絶えなかったブラガディンが休息に恵まれたのは、首が切り落とされてからだった。

トルコ人たちは、はがした皮膚を縫い合わせ、その中にわらを詰めこみ、切り落とした頭部を縫いつけた。この、人の皮膚をかぶった人形は、トルコの首都コンスタンティノープルに送られ、広場でさらしものにされた後、見世物にするために、広大なトルコ帝国の各地を巡回する旅に出たということだった。

・

もはや、スペイン人もヴェネツィア人もなかった。誰《だれ》もが悲痛な面持《おももち》で、異教徒トルコの蛮行に怒り、復讐《ふくしゅう》を誓った。

だが、やはり、ヴェネツィア船上でのそれは、より強くより深かった。強盗の罪で牢《ろう》に入っていたのを、海戦に参加すれば刑を減ずると約束され、漕ぎ手として重労働に服していた囚人たちまで、こぶしで胸をたたき、くいしばった歯の間から怒りのうめきをもらすほど、トルコへの憎しみに燃えたのである。

もう誰も、引き返そうなどと言う者はいなかった。

非常な手ぎわのよさで、全船の点検が終了した。砲兵たちの位置も確認され、石弓兵の配置も終る。各船の航行の順序も整理された。敵といつ出会っても戦端を切れる状態にしたままで、南下は再開されたのである。

レパント——一五七一年・十月

風は弱かった。櫂《かい》でのみ走る船が多かった。夜間も、航行停止の命令は出されない。星が美しくまたたくのにあらためて気づき、それを賞《め》でるほどの静かな雰囲気《ふんいき》が支配していたが、これらの星は、夜間航行にとっては賞でる対象ではない。船乗りたちは真剣にそれらを見あげ、方角を定め、各船の船首と船尾にかかげられた大カンテラの灯《ひ》を目印に、友船との距離を計るのである。

プレヴェザの湾の入口を過ぎ、サンタ・マウラの島の西岸にそって南下する。その南にはまもなく、古代の英雄オデュッセウスの島イタカと、チェファロニアの島があらわれてくるはずであった。

この辺一帯に浮ぶ島々は、ヴェネツィア共和国領である。また、コルフからはじまってチェファロニアにいたるこれらの島は、トルコ領になっているギリシアの陸地に近接しているために、ヴェネツィアの前線基地でもあるわけだった。トルコの偵察《ていさつ》船の眼《め》を、島影という島影に意識しなければならない海域に入ったのだ。

全船に、静粛の命令が出された。櫂のきしむ音と舳先《へさき》の波を切る音だけが、静かな海上を支配する。いつもは灯の明るい船橋も、余計な明りで船同士の距離を誤らないようにと消されている。それでも、二百隻以上の船団ともなれば、船首と船尾を浮びあがらせている大カンテラの灯は、周囲の海全体を明るく浮びあがらせないではおかなかった。トルコ側の偵察船は、この大艦隊の音を消した接近に、実際の規模以上の敵を感じてしまったのである。

レパントは、ギリシア名をナウパクトスという。レパントとは、西欧の人々の呼び名であった。長年ヴェネツィアが領有していて、船の避難港として活用していた港である。昔も今も小さな村にすぎないが、今に残る山腹をめぐる城壁をつくったのも、ヴェネツィア人だった。

ギリシア本土とペロポネソス半島を分けるパトラス湾の奥にある港で、そのまま東に進めばコリントにぶつかる。ヴェネツィア人が避難港として使っていただけに、この中に入られてしまうと完全に安全で、西に口を開いたパトラス湾におびき出すのは、ほとんど絶望的だった。

しかも、季節は十月に入っている。海戦はおろか通常の航海でも、冬越しのために そろそろ港を目ざす時期になっていた。レパントとその周辺の海ならば、三百隻であろうと冬越しは充分に可能だ。これが、この海域ならばイスラムの海賊にも負けないくらいに熟知している、ヴェネツィアの海将たちの唯一《ゆいいつ》の心配事であった。

実際、レパントの港では、トルコ海軍の諸将たちの意見が分裂していた。

トルコ側の放ってあった偵察船の報告では、接近しつつあるキリスト教諸国の艦隊は、自分たちと同じ規模かそれ以上の大艦隊であるという。ここは、このまま待たせることによって、今秋の対決はやり過ごしたほうが得策だ、と主張する者が少なくなかった。とくに、船の参加数ならば少数派でも、航行術と戦闘能力ならばトルコ海軍の交戦力をになっている海賊たちに、それを主張する者が多かったのである。ウルグ・アリと、シロッコという綽名《あだな》のほうで有名なシャルークの二人が、ことさら強硬に主張した。

トルコ側は、西欧の不統一を知っていた。前年が、その良い例であった。今年はなにやら一致したらしいが、来年はわからないのである。秋も深まりつつあるというのに、なにもここであえて一戦を交じえることもないというのが、これら不戦派の意見であった。

このままやり過ごすほうが得策と主張したのは、海賊の首領たちばかりではなかった。総司令官アリ・パシャに随行している、トルコ宮廷の重臣たちも、これと同意見だったのである。

彼らの多くは、先のスルタン・スレイマン大帝時代からの廷臣で、コンスタンティノープルのトルコ宮廷では、宰相ソコーリに代表される穏健派に属する。これらの齢《よわい》を重ねた重臣たちは、キプロス島も獲得して戦争の目標も達成されたのだから、ここであえて、キリスト教徒たちの挑戦《ちょうせん》に応ずることはないという意見だった。

しかし、彼らよりは若い世代に属す総司令官アリ・パシャは、戦いを交じえる気充分であった。

アリ・パシャにとって、これほどの大艦隊をまかされたのは、はじめての経験だった。トルコの宮廷を二分している、前スルタン・スレイマンの政治を踏襲しようとする派と、新スルタンの積極攻勢派との争いに加わるほどの政治家ではなかったが、それだけになお、大トルコ帝国の一員であることを強く意識する、純血トルコ人に属する。スルタン・セリムより手ずから授与され、聖地メッカで聖別されたというコーランの文字を金糸で縫いとりした大軍旗が、彼の頭から離れたことはなかった。この聖旗がひるがえる場所は、大艦隊をひきいる彼の乗る、旗艦の帆柱の上以外にはないのである。この聖旗を一度も風にあてないで帰国するのは、純血トルコ人のこの武将には、耐えがたい屈辱にすら思えた。

交戦に反対する廷臣たちは、幼少時はキリスト教徒であった改宗イスラムである。また、今ではアレキサンドリアやアルジェの総督に任命されていても、シロッコやウルグ・アリは、改宗イスラムのしかも海賊の頭目なのだ。アリ・パシャは、彼らを、自分と同じ血の流れる人間とは見ていなかった。二人の幼ない息子まで同行した彼のように、この一戦に賭《か》ける人間とは見ていなかったのである。

アリ・パシャは、また、他のすべての廷臣や武将たちが反対しても、戦いを強行するだけの理由をもっていた。

コンスタンティノープル出港に際して、スルタンから、何事が起ろうともキリスト教徒どもの艦隊をつぶせ、という親書を与えられていたからである。あまりの反対者の多さに、反対派の要請をいれて、再度の確認を主君に乞《こ》う使いを出したのだが、スルタン・セリムの答えは前と同じだった。

アリ・パシャは、重臣や海賊の首領たちを前にして言った。ギリシア人からの情報によれば、敵艦隊の総数は、輸送用の帆船も加えて二百五十は越えないという。われわれのほうが優勢だ、と彼は言った。

これに、公式にはアルジェの総督であるウルグ・アリが反論した。優勢かどうかは、船の数の問題ではない。装備の問題でもあるのだ。トルコ船は総じて小ぶりで、砲器の装備ならば、敵方に確実に劣る。とくに、あの六隻の怪物は、とウルグ・アリは言った。あの六隻をガレー軍船と同じに数えると、致命的な誤りを犯すであろう。それに、ヴェネツィア海軍をひきいるのは、セバスティアーノ・ヴェニエルだ。彼にひきいられたヴェネツィア艦隊は、われらに出会いさえすれば、総力をあげてぶつかってくることは疑いをいれない。これが、ウルグ・アリの反対の理由だった。

アリ・パシャは、ほぼ自分と同年の、このイタリア生れの海賊を、いかにも軽蔑《けいべつ》した眼差《まなざ》しで見やった。そして、厳しい口調で言い返した。

あなた方の一時代前の海賊バルバロッサには、ときのスペイン王カルロスからの買収の手がのびていたという。今のスペイン王フェリペ二世も、誰やらもとキリスト教徒の海賊に、キリスト教にもどるよう勧誘しているという話を耳にしたが、あなたの慎重さが、それへの証拠でないように祈る。

これには、ウルグ・アリも黙ってしまった。実際、この噂《うわさ》は、キリスト教艦隊内でもささやかれていたのである。

ウルグ・アリの沈黙に力を得たのか、トルコ艦隊総司令官は、最後の一太刀という感じでつけ加えた。

キリスト教諸国の艦隊をひきいるのは、スペインの王弟だという。わざわざ王弟まで出馬してきたというのに、こちらとしては旗を巻いて引きさがることはできない。堂々と対決してこそ、トルコ帝国にふさわしい態度と考える。

もはや、反論する者は誰もいなかった。トルコ艦隊も、レパントの港を出て、近づきつつあるキリスト教徒の艦隊との海戦にのぞむことに決まったのである。


これは、海上で行なわれる会戦であった。それに適した陣容も決まった。

スペインの王弟がひきいるにちがいない本隊には、アリ・パシャ自ら指揮するトルコ艦隊の本隊があたる。九十六隻のガレー軍船で構成され、アリ・パシャ乗船の旗艦には、特別に戦闘要員として、四百人のイェニチェリの精鋭が乗りこむことになった。旗艦の左右は、重臣たちの乗る船でかためる。

キリスト教艦隊の左翼と対決することになるであろう右翼には、五十六隻のガレー軍船が配され、指揮は、アレキサンドリアの総督でもある海賊の首領シロッコ。また、敵の右翼とぶつかるであろう左翼には、小型も入れて九十四隻のガレー軍船が配属され、指揮は、アルジェ総督の海賊ウルグ・アリに一任された。

シロッコの乗る船もウルグ・アリの乗る船も、いずれも、陣容全体の最右翼と最左翼の位置を与えられる。トルコ艦隊も、全軍をひき締める位置に、歴戦の海の男を配したわけだった。

後衛には、これも海賊の首領ドラグーのひきいる、三十隻がひかえる。だが、ここにはとくに、小型のガレー船が多かった。

総司令官アリ・パシャは、十月七日の早朝を期して、全艦隊はレパントを後にし、パトラス湾にくり出し、敵を迎え撃つ、という命令を発した。その日より二日の後にくる、出陣だった。

イタカの島とチェファロニアの島は、太古はおそらく一つの島であったのだろう。まるで二つの島を合わせるとうまくかみ合う形で、間に三百メートル余りしかない狭い海峡をはさんで分れている。

イタカの海峡側は、ホメロスの『オデュッセイア』に出てくるイタカの枕《まくら》言葉、「岩多き」を思い出させるように、切り立った断崖《だんがい》が船を寄せつけない。岩多きイタカ、とはまったくだと思わせる。

また、この狭い海峡は、これもホメロス作のイタカの枕言葉である、「風強き」を思い出さないではいられないほど、強い気まぐれな風が吹きつけることでも知られていた。

ヴェネツィアの船乗りたちは、なぜかこの海峡を、「アレキサンドリアの谷間」と呼んでいた。連合艦隊が、最後と思って放った偵察船の帰りを待ちわびていたのは、この「アレキサンドリアの谷間」に入る前の海上だった。

もどってきた偵察船のもたらした報告は、レパントの港の前の海を埋めていた敵艦隊に、陣型を組むかのような動きがあわただしい、というものだった。

「敵は、巣《ねぐら》から出てくる」

作戦会議の席上では、皆、残されていた唯一の心がかりが解消されたのを感じていた。後は、こちらも戦場に向うだけである。

「アレキサンドリアの谷間」では、他《ほか》では風のないときでも風が吹く。すぐ近くの海上が微風ならば、この狭い海峡では強風に変るのだった。だが、ここを通り抜ける利点もあった。イタカもチェファロニアもヴェネツィア領であり、チェファロニア側には、避難可能な良港があったのだ。そして、その年の十月六日の海峡は、微風が吹くだけだった。

ガレー船やガレアッツァは、帆をすべて巻きあげ、櫂を使って南下しはじめる。帆船は、ガレー船に引かれての通過だ。その日のうちに、全船の海峡通過が完了した。

「アレキサンドリアの谷間」を抜けると、そこでは強い東からの風が吹いていた。その風に吹きはらわれるように、東の方角から少しずつ、夜が明けはじめていた。一五七一年の十月七日が訪れつつあった。船上で仮眠をむさぼっていた者も、眼覚めたばかりの眼をまず東に向け、それから、明け方の寒気に身ぶるいを一つして、起《た》ちあがっていた。

レパント――一五七一年十月七日・朝

パトラス湾の出口で待ちうけるのが目的なのだから、弓型の陣型をつくる必要があった。東の方角に薄黒く水平線を埋めているのは、トルコの艦隊にちがいない。

まず、輸送用の帆船が、チェファロニアの港で待機するため、西に離れて行った。後は、「アレキサンドリアの谷間」を通過した順序で、南から北に、右翼、本隊、左翼と並ぶだけなのだが、強い逆風に邪魔されて、これが思うようにいかない。

しかし、レパントの湾とパトラスの湾をつなぐ狭い海峡を抜け出るのに、トルコ艦隊のほうも手間どっていた。こちらは順風に恵まれ、帆をあげての帆走だが、なにしろ三百隻《せき》の大船団である。また、連合艦隊は真西の方角にいるため、東の空が薄明るくなった段階では、西にいる敵艦隊の姿を認めるのまでは無理だった。余裕をもつ場合にかえって生れやすい混乱をまきおこしながら、トルコ艦隊はようやく、パトラス湾への通過を完了する。

一方、キリスト教艦隊のほうでは、いち早く敵船を認めていた。白みはじめた東の空を背景に、まるで影絵のように、帆をあげた船が近づいてくる。だが、なぜか、はじめに視界に入ってきたのは一隻の船だけだった。しかし、それはすぐに、その一隻が二隻に分れ、さらに四隻に分れるような感じで、視界いっぱいに広がっていった。

海軍史上、ガレー船同士の海戦としては、最大の規模で闘われ、かつ最後の戦闘となる「レパントの海戦」は、陸海を問わず大会戦が常にそうであるように、敵を認めるやただちに戦端が切られる、というようなことにはならなかった。

多少の差はあったが、両軍ともそれぞれ、軍勢は二百隻を数え、船乗りは一万三千を上まわり、漕《こ》ぎ手《て》も四万人を越え、戦闘員は三万人にのぼる。大砲の数だけはちがいが大きくて、一千八百門を装備したキリスト教艦隊に対し、イスラム側は七百五十門だった。

それにしても、両軍合わせれば、五百隻の船と十七万の人間が、正面から激突しようとしているのだ。戦列をととのえるだけでも、容易なことではなかった。

太陽がのぼってきた。快晴で雲ひとつない。風は、レヴァンテと呼ばれる東風が、いまだに強く吹きつけている。

トルコ艦隊は、パトラス湾を出つつあった。連合艦隊が待ち伏せしようとするその海域は、北は浅瀬で閉じられているが、南は、ペロポネソス半島の西端をめぐって開けた海になる。

その開いた海が、連合艦隊の右翼をまかされた、傭兵《ようへい》隊長ドーリアの責任海域であった。

少しずつ数を増して眼前に広がるトルコ艦隊の左翼の先頭には、ドーリアには見慣れた旗印がひるがえる船がいく。アルジェの総督といわなくても、その名だけで地中海沿岸のキリスト教徒にはすぐにわかる、海賊ウルグ・アリの船だった。ドーリアは、このときはじめて、自分と相対する敵が誰《だれ》であるのかを知った。海賊のほうも、相手がドーリアであるのを知ったにちがいなかった。

ドーリアは、陣容の最右翼をかためる役の自分の船を、ぐっと右方に移しはじめた。海は開いている。そして敵は、ウルグ・アリだ。ドーリアは、ウルグ・アリを右方からまわって押さえこむ陣型を取ろうとしたのだった。

総指揮官ドーリアの船が移動したので、右翼に配属されていた他の船も、いっせいに右方への移動を開始した。おかげで、キリスト教艦隊では、右翼と本隊の間が、異常に開いてしまうことになった。また、そのために、左翼、本隊、右翼の各陣型の前に、それぞれ二隻ずつ配されることになっていた六隻のガレアッツァのうち、右翼前線向けの二隻が、ガレー船のように移動が簡単でないこともあって、右翼の前線に位置するよりも、右翼と本隊の間の海域の前線にとどまることになってしまったのである。

弓型の陣容ゆえに、左翼からも右翼からも少しばかり後方にさがった本隊は、六十二隻が戦線をととのえつつあった。

中央にはドン・ホアンの旗艦が座し、その左にはヴェニエル乗船のヴェネツィア艦隊の旗艦、右にはコロンナ乗船の法王庁艦隊の旗艦が並ぶ。サヴォイア、フィレンツェと各国の旗艦が集中するこの本隊では、両端をかためるのも旗艦同士だった。本隊の右端は、マルタの聖ヨハネ騎士団の団長自ら指揮する旗艦。左端をまかされたのは、ジェノヴァ共和国の旗艦である。

陣容全体の最左翼と最右翼を練達の海将で締めることでは、キリスト教艦隊でもイスラム艦隊でも同じだったが、キリスト教艦隊では、左翼、本隊、右翼のいずれとも、その両端を海に慣れた武将の船で押さえるよう配置したのがちがっていた。

ドン・ホアンの船の船尾には、まるでそれと船首を接するように、スペイン王の側近を乗せた二隻がひかえる。

また、サンタ・クルズ侯ひきいる後衛の船団も、本隊援護専用とでもいうように、本隊のすぐ背後から動かなかった。実際、スペイン王の臣下であるサンタ・クルズ侯は、ドン・ホアンの船の護衛しか考えていなかったのである。

この本隊の前には、二隻のガレアッツァが配置を終っていた。その一隻には、六隻のガレアッツァ全体の指揮官でもある、フランチェスコ・ドゥオードが乗りこんでいる。機械部隊と言ってもよいこれらのガレアッツァの艦長はヴェネツィア貴族だったが、実際にこれらに効力を発揮させるのは、ヴェネツィアの中産階級に属す男たちだった。彼らは、造船技師とともに、ヴェネツィア共和国のエンジニア階級を代表してもいたのである。

川の流れこむ浅瀬や小島を左に見る海域に陣型をつくる左翼は、その最も左端に真紅のバルバリーゴの船がまわる。そのすぐ右には、歴戦の海将カナーレの船が、そして、左翼部隊の右端をかためるのが、これまたトルコ人ですら知らない者はいない、マルコ・クィリーニの船だった。

ヴェネツィア勢でかためた観のあるこの左翼は、近づいてくる旗印から、相対する敵が海賊シロッコであることを知る。バルバリーゴにとっては、キプロス駐在時代に、幾度となく櫂《かい》をかみ合わせた相手だった。クレタ島駐在の長いカナーレもクィリーニも、長年の間悩まされつづけた敵である。右端をかためるために遠ざかっていく船の上から、マルコ・クィリーニが、左端を締めるために停船して待つバルバリーゴに向い、ヴェネツィア方言の大声で叫んだ。

「敵を得た！」

バルバリーゴも、手を振ってそれに応《こた》えた。

陣型をととのえるのにひどく手間どったようだが、これも計算ずみの行動であった。太陽は、東からのぼってくる。ということは、西に布陣する連合艦隊では、陽《ひ》を正面から受けるということだ。陽光と風の双方ともを、正面から受けるのでは不利だった。トルコ艦隊が、順風に恵まれたがためにかえって陣型をととのえるのに苦労しているのが、キリスト教側を救う。しかし、より大きな救いは、正午近くなってから訪れた。

陽が中天に達した時刻、なぜか突然、風が止《や》んだのである。トルコ船の帆柱高く張られていた帆が、いっせいにだらりとたれさがった。連合艦隊の船上では、これからは自分たちに有利だ、とほとんどの男が感じた。

陣型が成って全船が船首そろえて並ぶ艦隊の前を、総司令官ドン・ホアンの乗った小型の快速船が通過する。二十六歳の若者にしてみれば、最後の点検のためというよりも、戦士たちへの激励の気持のほうが強かった。

銀色に輝やく甲冑《かっちゅう》にその長身をつつんだ総司令官は、剣をもつはずの右手に、銀色の十字架をかかげもっていた。その姿のままで、若い総司令官は、声を張りあげて兵たちを激励して行く。船上に並んだ貴族も騎士も兵たちも、そして漕ぎ手の間からも、大喊声《だいかんせい》がまきおこる。その歓呼の波は、左翼から右翼に向って流れて行った。

ドン・ホアンは、ヴェニエルの船の前まできたとき、怒声を浴びせられる仲でもあったヴェネツィアの老将の姿を認め、イタリア語で叫んだ。

「なんのために闘われる？」

鎧《よろい》はつけていたがかぶとはつけていないヴェニエルは、大石弓を左手にかかえ、白髪を海風になびかせながら、これも大声で答えた。

「必要だからです、殿下。それ以外はなにもない！」

全艦隊を一巡し終ったドン・ホアンは、それまでは各船にひるがえっていた国旗や貴族たちの紋章旗を、すべて降ろさせた。ドン・ホアンの旗艦の帆柱高く、聖別された同盟旗が舞いあがる。空色のダマスコ絹の地には、銀糸で模様が縫いとりされており、中央には磔刑《たっけい》のキリスト像がおかれ、そのキリストの足許《あしもと》には、神聖同盟の主要参加国であるスペイン王国と法王庁とヴェネツィア共和国の紋章が、縫いとりされているものだった。総司令官の旗艦の帆柱高くひるがえるこの大軍旗は、戦線のどこにいても見ることができた。

船上では、華麗な武装に身をこらした高名な貴族や騎士たちも、石弓や小銃を手にした兵士たちも、舵《かじ》に手をかけた船乗りも、櫂をひとまず台に固定した漕ぎ手たちも、そして、囚人までも鎖を解かれ、戦い終了後は自由の身にすると約束された無頼の男たちも、各々《おのおの》の占める立場や課された任務に関係なく、いっせいにその場にひざまずいて神に祈りをささげた。

これは、十字軍なのであった。主キリストの名誉をかけて闘う、戦いなのであった。この瞬間、おそらく、反動宗教改革の最も純粋な要素が、ひとつに結晶した感じであったろう。全員の心の中では、それまでのあらゆる想《おも》いは消え、残ったのは、無心に敵に向う気持だけだった。

男たちは、それぞれの位置にもどった。漕ぎ手たちも櫂を手にし、船乗りも、帆を巻きあげた帆柱の下と船尾の舵とりの場所にもどる。砲手は、大砲のまわりにひかえ、小銃兵と石弓手は、右舷《うげん》と左舷に並んだ。剣や槍《やり》を手にした騎士たちも、中央の通路に並ぶ。

ヴェネツィア船では、指揮官でもある艦長は、船首の甲板上に立つ。陣頭指揮のかまえだ。他の国の船では普通、指揮官は船尾にある船橋の前が正位置だ。舵手《だしゅ》に近いからでもあった。舵手と遠く離れた場所で指揮するヴェネツィアの艦長たちは、中央通路ぞいに、命令を後尾に伝える伝令手を配していた。

各船とも船橋の上には、全員の祈りがすんだ後は、再び国旗や紋章旗をかかげるのが許された。だが、帆柱の上高くかかげられたのは、用意の銀色の十字架だけである。船首には、各隊を区別する黄色、空色、緑色の三角旗がはためく。これも、所属国家を忘れさせ、キリスト教徒であることのみを意識させるためだった。

準備はすべて終ったのだ。キリスト教側では、九万の男たちが、戦いの合図を待ちかまえていた。

一方、この時刻には、イスラム艦隊のほうも準備が完了していた。

こちらも、半月を思わせる弓型陣型である。ギリシアからもシリアからも、エジプトからも北アフリカからも参加しているのだが、すべてはトルコ領なのだから、各国別の軍旗はない。いずれも赤地、白地、緑地に、白、赤、白の半月をしるした旗印だけである。その他には、海賊たちの旗印が見えるだけだった。

総司令官アリ・パシャの旗艦の帆柱高く、白の絹地にコーランの一章を金糸で縫いとりした大軍旗がはためいている。この機会のために、聖地メッカからわざわざ取りよせた聖旗で、次の一章を読むことができた。

「神と預言者マホメッドに捧《ささ》げるこの偉業に参加する信者たちに、神の吉兆と誇りを贈る」

イスラム教徒にとっても、聖戦なのだ。十字と半月が激突する、聖戦なのであった。

レパント──一五七一年十月七日・昼

正午を少しまわったかと思われる時刻、アリ・パシャの旗艦から砲音がひびきわたった。ただちに、ドン・ホアンの船からも、砲音が返される。戦闘開始の合図だった。すまず、最前線に並ぶ六隻《せき》のガレアッツァの砲台が、ほとんど同時に火を吹いた。すさまじい号音だった。櫂《かい》を使って前進中であったトルコ軍船のいくつかに命中する。キリスト教側の「浮ぶ砲台」は、第一撃発射後も砲撃をやめなかった。また、何隻かが命中弾を受けてかたむき、燃えあがる船もあった。半月型の陣容はあちこちで断ち切られ、一列になって接近しつつあったトルコの陣型が乱れるのが、ガレアッツァの後方にひかえる、連合艦隊の士気をあおった。

トルコ船は、このやっかいものをなるべく早くやり過ごそうとしているようだった。トルコ船の甲板上に鎖でつながれているキリスト教徒の奴隷《どれい》たちの背に、奴隷頭の鞭《むち》が気狂《きちが》いのように振りおろされているにちがいなかった。全速力を出したトルコ船は、なだれをうって、ガレアッツァの両わきを通り抜けはじめる。しかし、「浮ぶ砲台」には、左舷《さげん》にも右舷にも砲口が口を開けている。船自体の動きは鈍くても、これらの砲口が黙っていなかった。

トルコ艦隊は、完全に陣型を乱していた。だが、彼らの船が比較的にしても小型であったのが、大砲の餌食《えじき》にされるのから救った。ガレアッツァを通り抜けた船は、一丸となって、こちらも前進中であった連合艦隊に突っこんでいった。

通り過ごされたガレアッツァが船の向きを変えるのには時間がかかる。このすきに、突撃戦がはじまっていた。ガレー船が、主役の座についたのであった。

海上戦というよりも、もはや陸上での戦闘に近かった。

左翼、本隊を問わず、両軍の船の櫂は互いにかみ合い、接近できた船からは、先を争って敵船に乗り移ろうとする男たちが、漕《こ》ぎ手《て》の頭ごしにでも跳びこむ姿勢でひかえる。

本隊では、ドン・ホアンの船めがけて突進してくるアリ・パシャの船の船首には、勇猛第一と評判の高いスルタンの近衛《このえ》兵のイエニチェリが、今にも跳び移る体勢でかたまっていた。

両船の舳先《へさき》が正面からぶつかる鈍い音が、あたりを圧した。総司令官の船同士が、舳先が折れるのもかまわず激突したのである。

これを見たヴェニエルの船は、アリ・パシャの船の右横を進んできたトルコ船に近づき、わざと櫂をかみ合わせた。その勢いに押されて、このトルコ船の櫂は、アリ・パシャの船の櫂と深くかみ合ってしまう。トルコの総司令官の旗艦は、こうして、友船とともに動きのとれない状態におちいった。だが、これもイエニチェリ兵の闘志をそぐことにはならなかった。それどころか、妻帯を許されないこれらの純戦士たちは、一段と闘志を燃やしたようであった。

本隊のあちこちでも、似たような戦況がくり広げられていた。ヴェニエルの船は一船だけで、敵の三隻を相手にしていた。コロンナの船でも、ローマ貴族たちの奮闘がめざましかった。戦線は完全に崩れ、いまやいくつかの海域で、渦巻《うずま》きを思わせる激戦が展開していた。

左翼での戦況は、一段とすさまじかった。

パトラス湾を出てすぐの戦場となった海域は、海深が四十から五十メートルはある。

だが、バルバリーゴが指揮する左翼が陣型を敷いた海域となると、二十から三十メートルはごく一部で、左に行けばただちに、海深は十五メートルを切る。しかも、これで終りではない。とたんに三メートルの近さに海底がせりあがってくるので、慣れている船乗りでもびくりとするほどだ。そして、その左側にもう、海深一メートルからゼロの浅瀬がつづくのだった。

アゴスティーノ・バルバリーゴは、前夜に考えておいた戦術を、他《ほか》のことはなにも考えずにつらぬくと、かたく決めていた。右方からまわりこんで、敵を浅瀬に追いあげる、という策である。だが、敵を指揮しているのは、海賊シロッコだった。ヴェネツィアの海将たちがこの海域の特色を熟知しているならば、同じ海を職場とする海賊の首領が知らないわけがない。シロッコという綽名《あだな》で、地中海沿岸では子供でも知っている高名な海賊が、やすやすとこちらの策に乗ってくるはずがなかった。しかし、勝つには、敵を浅瀬に追いあげるしかない。これに失敗すれば、味方のほうが追いあげられてしまうにちがいなかった。

ここはもはや、自らの肉体もろとも敵にぶつかって行くしかない、とバルバリーゴは思った。自分の船の損傷も気にせず、味方の船を道連れにすることも怖《おそ》れず、一丸となって敵に襲いかかるしかない。海賊は、たとえイスラムの名で闘われようと、本能的に自船の安全だけは期す性向がある。一方のヴェネツィア船は、ヴェネツィア共和国のためだけを思って闘えばよかった。

戦端が切って落とされると同時に、バルバリーゴの左翼でも、二隻のガレアッツァの砲口が火を吹いた。シロッコひきいる右翼が、降りそそぐ弾丸を浴びて、陣型が乱れるのも見た。

しかし、この海域でも、緒戦《しょせん》の不利から立ちなおるのに、トルコ軍はさほどのときを要しなかった。二隻のガレアッツァの両わきを通り抜けたトルコの右翼は、全速力で、これも前進中の連合艦隊の左翼めがけて突進してきたのだ。

だが、バルバリーゴから策を伝えられていたクィリーニは、トルコ船をやり過ごすような形で右方にまわる。左翼の全船がこれにつづいた。

この戦術はうまくいった。敵の注意は、当然、真紅に塗られたバルバリーゴの旗艦に集中している。その旗艦は、びくとも動かない。その間に、右端のクィリーニの船は、敵船隊の背後にまわっていた。

クィリーニの船とバルバリーゴの船が両端をかためた左翼船隊は、こうして、トルコの右翼を半月形につつみこむことに成功したのである。後は、この輪をちぢめるだけだった。

敵を浅瀬に追いあげるということは、敵船の動きを封じるということである。だが、離れて追いあげるのでは、海賊船の多いトルコの右翼が相手では、容易な成功は望めない。追いあげるほうも、自船の動きの自由を犠牲にする覚悟でなければ、成功はおぼつかなかった。バルバリーゴも、そして右隣りの船を指揮しているカナーレも、また最右端をまかされたクィリーニも迷わなかった。

肉弾戦の援護射撃は、緒戦以来主役の座をおりた観のあった、ガレアッツァから発せられた。とくに、六隻の中でも最も左に位置していたアンブロージオ・ブラガディン指揮のガレアッツァが、再び「浮ぶ砲台」の威力を発揮しはじめたのだ。キプロスで生きたまま皮をはがれて殺されたマーカントニオ・ブラガディンとは同じ家の出であるこの男は、大型船の向きを、他の同僚の誰《だれ》よりも早く変えるのに成功していた。そして、敵右翼めがけて砲丸を浴びせかけはじめたのである。

これは、輪をちぢめつつあったヴェネツィア船隊を迎え撃つ気がまえであったトルコ兵に、物質的にも精神的にも打撃を与えずにはおかなかった。陸上ならともかく、海の上での砲撃には慣れていなかったのだ。帆柱は吹きとばされ、甲板には大穴があくのを眼《め》にしながら、砲丸はいつどこから降ってくるのかわからないのである。敵に、ひるみが見えた。

しかし、友船からの援護射撃は、トルコ側にばかり被害を与えたのではなかった。射程距離は、それほど正確ではない。しかも、輪をちぢめつつあるヴェネツィア船は動いている。ヴェネツィア船の頭上にも、砲丸は降らないではすまなかった。だが、ブラガディンは、それを知っていながら砲撃をつづけさせた。

海深が五メートルを切り、これ以上浅くなればガレー船の動きが止まるというとき、突如、真紅のバルバリーゴの船が、それまでの左端の位置を捨て、半円の真只中《まつただなか》に突入してきた。それに、カナーレの船もつづく。そして、この二船はただちに、互いの船腹を鉄鎖でつなぎ合い、先頭を切って、待ちかまえるトルコ船隊に突っこんで行った。そのすぐ後に、これまた鉄鎖でつなぎ合った左翼の全船がつづいた。

いずれも動きの自由を失った敵味方の船の櫂は、互いに深くかみ合い、動かない戦場が海の上にできる。敵船に跳び移るには距離がありすぎれば、かみ合った櫂を伝わって降り、よじのぼった。ヴェネツィア船では、漕ぎ手も櫂を捨て、常に身につけている胸あてに、先端に鉄の鋲《びょう》が一面に突き出ている棒を手にして、戦線に加わった。キリスト教艦隊の兵とイスラムの兵は、この混戦の中でも見分けるのは簡単だった。イスラム教徒の兵は、色とりどりのターバンで頭を隠し、手には鈍い光を放つ半月刀をにぎりしめている。

もはや、そこに展開するのは白兵戦だった。バルバリーゴは、敵船隊の真只中に突入した自船の船首から、一歩も動かなかった。鋼鉄製の甲冑《かっちゅう》に身をつつみ、左手には抜き身の剣をさげている。だが、右手にもつ指揮仗《しきじょう》をふるって指揮するほうが忙しかった。

ふと、かぶとをかぶったままだと声の通りが悪くなるのではないかという怖れが、彼の胸をよぎった。一瞬後、ヴェネツィアの海将は、かぶとを捨てていた。

そのバルバリーゴの眼の端に、すぐ隣りの船を指揮していたアントニオ・ダ・カナーレが、その独得の白熊《しろくま》のような戦闘服全身に、一面に敵の矢を浴びて倒れたのが見えた。時刻は、午後の三時をまわっていた。

浅瀬での白兵戦から遠く離れた右翼では、まったくちがう戦況がくり広げられていた。

海賊ウルグ・アリと海戦を職業とする傭兵《ようへい》隊長ドーリアの二人は、技能の粋《すい》をつくした戦いを展開中だった。この海域では、プロ中のプロが対決しているのであった。

ただし、プロ中のプロの一人であるドーリアの誤算は、自分の指揮下の右翼船隊の五十七隻中に、二十五隻にのぼるヴェネツィア船が加わっていることを計算にいれなかったことにあった。ヴェネツィア人は、技能ではプロであっても、祖国のためという気持が先行する、ある意味ではシロウトの集団だったのである。反対にウルグ・アリは、彼配下の海賊船に加え、技能でもシロウトのトルコ船をひきいている。これは、望むと望まないにかかわらず、彼の指揮のとおりに従《つ》いてくる船隊をひきいているということであった。

海深も五十メートルはある開けた海が戦場のこの海域では、風も、強風ではなかったが吹いていた。マエストラーレと呼ばれる、北西風である。これは、ドーリアのほうに有利だった。

戦闘開始の段階では、ウルグ・アリひきいるトルコの左翼に対し、ドーリアひきいる連合艦隊の右翼は、ずっと南に陣型を移動させたことはすでに述べた。ウルグ・アリの動きを、右方からまわって封じようとしたからである。このために、緒戦での、左翼や本隊前のガレアッツァがあげた砲撃による効果は、ドーリアの右翼では生じなかった。動きの鈍いガレアッツァが、突然のドーリアの戦術の変更に従いていけず、所定の位置にとどまったままだったからである。ために、この二隻の「浮ぶ砲台」の威力は、敵の左翼に対してでなく、もっぱら敵の本隊に向ってふるわれる結果になってしまった。つまり、ウルグ・アリの左翼船隊は、ガレアッツァからの砲撃による被害から、相当な程度で逃れられたということである。

ほぼ無傷で突進してくるウルグ・アリの船隊を見たドーリアは、自分の船をさらに南に移動させる。当然、彼のひきいる右翼船隊に属す各船の間隔は、この度重なる予定にはない移動のために、開く一方になってしまった。

そして、ウルグ・アリの戦術の変更に気づいたときには、この戦線の広がりは、もとにもどすのも容易でないほどの、一本の糸にも似た弱いものになっていたのである。実を言えば、ウルグ・アリは、戦術を変更したのではない。彼の考えは、もともと、左方よりドーリアの船隊のわきをまわり、ドン・ホアンの本隊を背後から突くことにあったのだ。

それに気づいたドーリアが、わきをまわらせまいとして船隊を移動させたわけだが、もともとキリスト教徒の海賊は、これと正面からぶつかる愚を犯さなかった。彼は、南西の方角に向けていた自分の船の舳先を、実に巧みな操縦で、北西の方角に方向転換したのである。ドーリアの南への移動作戦で開いてしまった、ドーリアの右翼とドン・ホアンの本隊との間に眼をつけたのだ。その間を通り抜け、ドン・ホアンの本隊を背後から襲う。これが、一見変ったように見えたが本質的には変っていない、ウルグ・

アリの作戦だった。

このウルグ・アリの考えをいち早く見抜いたのが、ドーリアひきいる連合艦隊の右翼に配属されていた、ヴェネツィアの船だった。彼らは、指揮官ドーリアの船に従っての、南への移動をやめた。自分たちの眼前を通りすぎて行くウルグ・アリの船隊に、十五隻以上もの船が一丸となって突っこんで行ったのである。誰が指揮したというわけではなかった。ほとんど反射行動のように、ヴェネツィア船団は突入して行ったのである。

しかし、ウルグ・アリひきいる敵の左翼は、小型船をふくめてとはいえ、九十四隻からなっている。縦隊で行く一ヵ所に突入したとはいっても、たちまちヴェネツィア船は、一隻に対し五、六隻のトルコ船を相手に闘うことになった。

ここではもはや、虐殺《ぎゃくさつ》だった。群らがるピラニアが、図体《ずうたい》はずっと大きい魚を喰《く》い散らすようだった。それでも、魚も死ぬ前に、相当な数のピラニアを殺しはしたのである。だが、敵船は、後から後から攻めてくる。

ヴェネツィア船のうちの一隻の艦長ベネデット・ソランツォは、自分の船の乗組員の大半が、びくとも動かない死体になっているのを見た。また、彼の船のまわりを、最後の生き血を吸おうとでもするかのように、六隻のトルコ船が囲んだのも見た。

このヴェネツィアの貴族は、わずかに残っていた漕ぎ手たちに、海にとびこめと命じた。そして、船倉に降りて行き、火薬に火をつけた。敵船六隻を道連れに、自爆したのである。彼の遺体は、戦い終了後も見つからなかった。

自爆はしなくても、この海域でのヴェネツィア船の被害はすさまじかった。艦長で戦死した者の数は、白兵戦を展開中の左翼に匹敵するほど多かったのである。

ヴェネツィア船隊を血祭りにあげたウルグ・アリは、ドーリアが方向を変えない間に、ドン・ホアンの本隊の右端に達するのに成功していた。驚嘆すべき、船の操縦術の妙であった。

レパント──一五七一年十月七日・夕

敵味方ともガレー軍船同士が櫂《かい》をかみ合わせてしまえば、海上であろうと、そこには固定した戦場が出現する。戦闘も、この戦場でくり広げられる白兵戦しかありえない。

こうなってしまうと、「浮ぶ砲台」と呼ばれるガレアッツァも、力のふるいようがなくなってくる。敵船の帆柱を砲撃によって倒すことは可能でも、落下してくる帆柱も帆桁《ほげた》も、その下で闘う味方の兵まで殺しかねないからであった。

このため、やむをえないとはいえ、戦闘の中盤以後のガレアッツァは、格好の観戦場という感じになってしまった。六隻《せき》からなるガレアッツァの総指揮官であったフランチェスコ・ドゥオードは、戦い終了後の本国帰還の折りの報告で、次のように言っている。

「キリスト教徒もイスラムも、まるで狩場《かりば》での狩人《かりゆうど》のようであった。狩場ではよく起ることだが、狩猟に夢中の狩人は、狩場の別の場所でなにが起っているかには、関心を払うことができなくなってしまう。眼前の獲物にだけ、注意を集中せざるをえなくなるからだ。同じような状況が、レパントの海戦の戦場でもくり広げられていた」

トルコ陸軍の背骨ともいわれたイエニチェリの勇猛さは、混戦になるや、いかんなく発揮された。この無敵の戦士たちは、アリ・パシャひきいる本隊に配属されている。キリスト教艦隊の本隊にも諸国の旗艦が集中していたが、イスラム艦隊のほうも、トルコ支配下の各地の総督乗船の大型戦艦が、総司令官アリ・パシャの旗艦を守るように、その周囲に集まっていた。当然、これらの船の戦闘員も、イエニチェリ軍団をはじめとする、陸軍国トルコの精鋭でかためられている。この戦士たちが、雲霞《うんか》のごとく、キリスト教側に襲いかかったのであった。

だが、ドン・ホアン、ヴェニエル、コロンナの旗艦を中心とするキリスト教艦隊の本隊の戦士たちも、勇猛さでは少しも負けなかった。

小銃のはじける音が耳をろうし、石弓の放つ矢が無気味に大気を切る。ときの声となると、敵味方とも区別がつかなかった。ゆれ動く水の上ならばどうしようもないスペインの騎士も、足許《あしもと》が確かとなれば迷いはない。総司令官ドン・ホアンも、副司令官コロンナも、互いに味方の騎士たちに囲まれているとはいえ、船橋の前から一歩も退かなかった。

ヴェニエルにいたっては、味方さえも寄せつけなかった。七十五歳のこの「ミスター砦《とりで》」は、老齢による動きの鈍さを逆手にとって、槍《やり》や剣を使わず、指揮のための大声を張りあげなければ、石弓を手に的確に敵兵を倒すことをやめなかった。ヴェニエルのかたわらには、二人の兵がひかえ、総大将の石弓から矢が放たれるや、ただちに、矢をつがえた別の石弓を手渡す。老将は、戦闘開始からずっと、かぶとをつけていなかった。風になびく白髪は、まるで、怒り狂う馬のたてがみのようだった。敵の誰かの放った矢が、左の太股《ふともも》に命中したが、それも「砦」を崩すことはできなかった。自らの手で、肉片のへばりついた矢じりともども矢を引き抜いたヴェニエルは、なにごともなかったように矢を放ちつづけた。

イエニチェリ軍団の兵士たちは、ヴェニエルの船はもちろんのこと、ドン・ホアン乗船の船にも襲いかかっていた。だが、総司令官の船を守る任務を課されていた、サルデーニャ島出身の兵たちは勇敢だった。彼らは、小銃を使えなければ、懐刀《ふところがたな》でぶつかっていった。倒れれば、後続の船から、新しい血がつぎこまれた。

キリスト教艦隊の後衛の三十隻は、ここに全船が投入された。この後衛に配属されていたヴェネツィア船のうちの二隻は、ドン・ホアンの船危うしと見るやその前面に船を進め、イエニチェリの襲撃を一手に引きうけてしまう。すさまじい激闘は、二隻の艦長が戦死した後も終らなかった。

しかし、戦況は、わずかながらにしても、キリスト教側に有利に展開しはじめていたのである。

緒戦での砲撃が、やはりあなどりがたい打撃を与えていたことと、トルコ船を一隻でも占拠するや、その船につながれていたキリスト教徒の漕《こ》ぎ手《て》たちを、次々と解放していったからである。自由になった奴隷《どれい》たちは、今度は背後から、イスラム教徒に襲いかかっていったのだった。

アゴスティーノ・バルバリーゴ指揮する左翼が闘う戦線でも、戦況は明らかに、キリスト教側が優勢に立ちつつあった。

ここでは、敵は、混じり気なしの海賊の集団だ。イエニチェリがトルコ陸軍の背骨ならば、イスラム教徒の海賊は、トルコ海軍の実戦力をになっている。闘い慣れた戦士ということならば、遜色《そんしょく》はまったくなかった。

しかし、十二隻をのぞけば、他はすべてヴェネツィア勢でかためた五十五隻である。

彼らには、年来の敵トルコに対する、耐えに耐えつづけた恨みがあった。しかも、今やキプロスは奪われ、同胞の多くは、残虐《ざんぎゃく》このうえもないやり方で殺されたばかりである。このヴェネツィアの戦士たちの戦法は、もはや戦法などとは呼べるものではなかった。武器より先に手が、手よりも先に身体《からだ》が、敵めがけてぶつかっていったのである。

だが、犠牲も大きかった。「クレタの海の狼《おおかみ》」と綽名《あだな》されたアントニオ・ダ・カナーレは、あの白いキルティング地の戦闘服を朱に染めて、自船の船首近くで動かなくなっていた。その船の指揮は、戦死した艦長にただちに代わった、彼の副官がとっていた。

しかし、この左翼戦線で最も大きな犠牲を払うことになったのは、やはり、指揮官バルバリーゴの船であった。

浅瀬に敵を追いあげる戦法の最前線にいたのが、この旗艦である。これとカナーレの船が互いに鉄鎖でつなぎ合って、敵船隊にぶつかっていったのだ。とくにバルバリーゴの船は、全船が真紅に塗られた旗艦だけに敵の注意が集中し、この船一隻だけで八隻を敵にまわして闘ったのだった。帆柱も帆桁も、敵の放った火矢で燃えあがった帆のあおりをくって火だるまと化し、真紅の櫂も、大半が折れたり流されたりしていた。

それでも、誰一人、船を捨てた者はいなかった。火災は、可能なかぎり消されていたし、武器を手にできる者は、漕ぎ手はもちろんのこと、料理人から聴聞僧まで敵兵に立ち向った。

ここでも、敵船は占拠されるや、キリスト教徒の奴隷たちは鎖をとかれ、背後から敵を突くかっこうになった。

バルバリーゴは、敵の不利を見、勝機は今だと悟った。彼は、船首の最先端に立ちはだかり、配下の戦士たちへの激励にいっそうの力をこめた。と、そのとき、銃弾が彼の右眼《みぎめ》に命中した。頭全体がなにか鉄の大きなもので打たれたような衝撃を受けた彼は、だが、かろうじて踏みとどまることだけはできた。その彼の眼の前で、激戦をくり広げていた敵将シロッコの船が、泥水《どろみず》の中に少しずつ沈みはじめていた。負傷したシロッコが、海にとびこむのも見えた。だが、これはすぐに、味方の兵を救うためにおろした小舟のヴェネツィア兵によって、泥海の中から引きあげられる。アレキサンドリアの総督でもある海賊の首領シロッコは、この三日後に、傷がもとで死んだ。敵将の戦線脱落を眼にした後ではじめて、バルバリーゴの身体は、足許から徐々に、甲板の上に崩れ落ちていった。少しばかり離れたところにいたフェデリーコ・ナーニが、ただちに指揮を代わった。

バルバリーゴは、甲板下の船倉に運びこまれた。船橋にある艦長用の船室に運びこもうにも、船尾の船橋は燃えつきてしまっていたからである。

医師が呼ばれ、バルバリーゴの受けた傷は、右眼だけではないことが判明した。鎧《よろい》がくみ合わされるところにできるわずかのすき間に、深々と矢がくいこんでいたのだ。矢じりは引き抜かれていたのだが、傷から流れ出た血が、脚部をおおっていた鎧の裏側にまで、べっとりとついて固まっていた。相当な量の血液が流れ出てしまったにちがいなかった。そのうえ、形のなくなった右眼から流れ出る新しい血は、医師でも止める方法はなかった。バルバリーゴの顔は、そばにひかえる人までが驚くほどの早さで、色を失いつつあった。

そのとき、伝令が、あわただしく木の階段を駆けおりてきて告げた。

敵の全船は、沈没するか焼き払われるかし、残りはすべて捕獲したこと。勝利を告げるのろしが、今、あげられたこと。

アゴスティーノ・バルバリーゴの青白い顔に、はじめてさわやかな微笑が浮んだ。

勝利ののろしは、左翼であげられるとほとんど同時に、本隊でもあがっていた。

すさまじい戦闘はついに決着がつき、アリ・パシャの旗艦は、無防備な状態で、ドン・ホアンの眼の前にひかれてきた。船尾にしつらえられた華麗な内装の船室の中には、石弓の矢に心臓深くえぐられて息もない、アリ・パシャの遺体があった。彼の二人の息子も、それぞれの船上で捕虜になっていた。

トルコの総司令官の遺体からは首だけが切り離され、槍《やり》に突き刺された首級は、キリスト教艦隊総司令官の船の、帆柱高くかかげられたのである。ここ本隊でも、左翼戦線と同じく、逃げおおせたトルコ船は一隻もなかった。

一方、キリスト教艦隊の右翼とイスラムの左翼が対戦中の海域では、戦況は、まったくちがう様相で終ろうとしていた。

互いに離れてにらみ合う戦法をとった傭兵《ようへい》隊長ドーリアと海賊ウルグ・アリは、いずれも自分の船は戦線の先頭を切ってはいたのだが、ついに一度も舳先《へさき》を交じえずに終始しようとしていた。

様子をうかがうだけで敵にいっこうにぶつかっていかないドーリアに反旗をひるがえしたのが、この指揮官に従う義務を課された右翼のヴェネツィア船だった。彼らは、ウルグ・アリひきいる敵艦隊に、勝手とはいえ闘いをいどみ、ベネデット・ソランツォの自爆を頂点とする壮絶な戦闘をやめなかった。ここ右翼でのヴェネツィア人の艦長の戦死者は、二十五人中六人におよぶ。この比率は、バルバリーゴの左翼に優るとも劣らないものだった。この海域でも、激戦は行なわれないわけではなかったのである。

しかし、両軍の指揮官の動きを追っていくならば、ここ右翼では、後年のトラファルガー海戦のネルソンか、そのまた後年の日本海海戦の東郷平八郎《とうごうへいはちろう》にまで想《おも》いを馳《は》せることもできるような、近代的な海戦がくり広げられていたと言えないこともない。向ってくるヴェネツィア船隊を、たたけるものはたたき、かわせるものはかわして進んでいたウルグ・アリひきいるトルコの左翼は、ドーリアが駆けつけようにも容易には駆けつけられない海域に達していた。ドン・ホアンひきいるキリスト教艦隊の本隊への接近に、成功していたのである。

本隊の右端をかためていたのは、マルタ島に本拠をおく聖ヨハネ騎士団の三隻だ。とくに最も右端にいたのは、団長乗船の騎士団の旗艦だった。当然、この船には、フランスやスペイン出身の、異教徒と闘うことのみで神に身を捧《ささ》げた、騎士たちが多く乗船している。彼らは、騎士団の規則からも、ヨーロッパ有数の貴族の子弟たちだった。

ガレー軍船（トルコ）

これほど、もとキリスト教徒で今はイスラムの海賊であるウルグ・アリにとって、闘志を燃やす獲物はない。しかも、ウルグ・アリは、トルコのスルタンによってアルジェの総督に任命されている。アルジェに本拠をおく彼とマルタ島を要塞《ようさい》化した騎士団とは、宿命的といってもよい敵対関係にあった。

そのマルタの三隻を襲ったウルグ・アリはすさまじかった。

本隊同士の戦闘に参加していたマルタの三隻は、不意に背後を突かれた形になった。マルタの旗艦上では、騎士たちの奮闘にもかかわらず、倒れていく者は、ターバンに半月刀のイスラムの海賊ではなく、華麗な甲冑《かっちゅう》姿の騎士に多かった。船橋上にひるがえっていた騎士団旗がまず奪われた。次いで、まだ闘っている騎士団長や騎士たちを乗せたままで、旗艦そのものが捕獲されてしまったのである。

だが、ウルグ・アリは、狩場での狩人ではない、数少ない戦士たちの一人であらしかった。彼は、はじめ左翼で、そしてすぐつづいて本隊であがった、勝利を告げるのろしを見逃さなかった。

もとキリスト教徒の海賊は、再度、船の方向を変えたのである。今度は、百八十度の方向転換をして、再びドーリアの舳先をかわす戦法に出た。マルタの旗艦まで引きずってであった。

しかし、はっきりと戦場から逃げようとしているウルグ・アリを、今度もまた、ドーリア指揮下のヴェネツィア船隊は見逃さなかった。自爆や撃沈されなかった船が一丸となって、船腹を見せて眼前を通過中の、トルコの左翼に襲いかかったのである。

この機にいたって、ヴェネツィア以外の他国の船も黙ってはいなかった。フィレンツェの船もサヴォイア船も、先を争って戦線に突入した。そして、指揮官ドーリアも、マルタの旗艦がひかれていくのを、黙視しなかったのである。

右翼全体が敵にぶつかっていった。見るまにトルコ船が、次々と血祭りにあげられていく。マルタの旗艦も、捕囚から自由になった。ただし、騎士団旗は、海賊に奪われたままだ。戦闘開始以来はじめての全域海戦が、ここ右翼でも、ついに闘われたのだった。

だが、わずか四隻とともにとはいえ、ウルグ・アリを逃がしてしまったのである。このイタリア出身の海賊の首領は、ペロポネソス半島南端のモドーネにおいてあった二十七隻も従えて、トルコの首都コンスタンティノープルまで逃げのびることに成功したのだった。哀れなのは、同胞が解放されるのを眼前にしながら、鞭《むち》で打たれ櫂を漕ぐしかなかった、これらの船の奴隷たちであったろう。ウルグ・アリは、四十日以上もの航海も無事終え、奪った騎士団旗を海面に流しながら、金角湾に入港するのである。

レパントの海は、敵味方の戦士たちの死体で埋めつくされていた。そのあちこちで燃えあがる船が、つい先ほどまでの激戦海域がどこであったかということを、無言のうちに示している。かたむいた船の間を、生きのびようと泳ぎあえぐトルコ兵が、動く唯一《ゆいいつ》の物体だった。

蒼《あお》く深かった海も、男たちの流した多量の血で、赤葡萄酒《ぶどうしゅ》を流しこんだような色に変っている。その海を、西の方角から少しずつ、夕陽《ゆうひ》が金色に染めはじめていた。勝者たちも、勝利の歓声をあげることさえ忘れてしまったかのようだった。不可思議な静寂が、世紀の海戦が終了したばかりの海を支配していた。

レパント——一五七一年十月七日・夜

夕闇《ゆうやみ》が、少しずつにしても確実に、海上をおおいはじめていた。風も、強さを増していた。波も、高まりつつあった。夜の訪れとともに、風と波がますます強さを増してくることは、誰《だれ》にも予想できた。これ以上、海上にとどまるのは危険だった。

北西の方角に六海里ほど行ったところに、ペタラスという名の小さな島がある。ギリシア本土にくっつくようにしてある、トルコの支配のおよんでいない小島だった。その島の湾内で、ひとまず夜を越すことになった。

敵の船でも使えそうな船はみな、引綱をつけてひいて行った。後には、死体と、放置していくしかない焼けただれた船だけが、波間に残った。

ペタラスの島に着いてから、ドン・ホアンの船に、指揮官たちが祝いを述べに集まった。二十六歳の総司令官は、はじめて手中にした大戦の勝利に興奮し、包帯に血をにじませながらも元気な姿をあらわしたヴェニエルを見るや、駆け寄っていって抱擁した。あれほど気にかけていた自らの地位も、忘れてしまったようだった。ヴェネツィアの老将も、まるで息子と戦勝の喜びをともにするかのように、暖かくそれに応《こた》えていた。

コロンナも、法王ピオ五世の甥《おい》やローマの貴族たちを従えてやって来た。声高な祝いの応答が、狭い船室を張りさけんばかりに満たした。

だが、右翼の司令官ドーリアが船室に入ってきたとき、それまで満ちていた喜ばしい活気が、冷たい大気を浴びせかけられでもしたかのように、静まりかえった。

誰もが、返り血ひとつ浴びていないドーリアの甲冑《かっちゅう》姿を、異様なものでも見るように眺《なが》めた。血のりで全身が彩《いろど》られたようなヴェニエルは特別としても、ドン・ホアンもコロンナも、返り血があちこちにとんで汚れた軍服の姿だったのだ。

ドン・ホアンの前に進んだドーリアは、他人事をのべているような冷静な声で、戦勝の祝いを口にした。総司令官は、この右翼の責任者にだけは、ひどく冷たい声音で短く応じた。ヴェネツィアの海将たちは、自制しなければつかみかかりでもしそうな憤怒の形相《ぎょうそう》で、このジェノヴァ人を見ていた。

すでにこの頃《ころ》には、人々は知っていた。右翼でのドーリアの指揮が、どのような経過と結果を生んでいたかを知っていたのだった。後に報告を受けた法王ピオ五世が口にした言葉が、その場に居あわせた人々の心中をあらわしていたにちがいない。

「神よ、哀れみたまえ。海将としてよりも海賊として終始した、あの哀れな男を」

これは、ドーリアにとっては、厳しすぎる非難だったかもしれない。だが、レパントで闘われた海戦は、ガレー船同士のものであった。トラファルガーのときのように、帆船による海戦ではなかったのである。


それにしても、人々の喜びは天井を知らなかった。

無敵と思われてきたトルコ軍が、無敵でないことを実証したのである。それも、一四五三年のコンスタンティノープル陥落からはじまった、トルコの攻勢に次ぐ攻勢の前に、全力を投ずる抵抗となるとほとんど一度としてしなかったキリスト教勢が、実に百十八年後にしてはじめて獲得した、真物《ほんもの》の勝利であったのだ。しかも、敵左翼の司令官ウルグ・アリは逃がしたとはいえ、圧勝と言ってもよい勝利である。

若いドン・ホアンは、この喜びを誰とでも分ちあいたい想《おも》いだった。ドーリアに対してさえも、冷たく遇しただけで、その後は非難がましいことは言わなかった。

その若い公子の頭に、ただ一人、これまでの首脳会議の常連でいながら、今夜の喜びの席には欠けている顔が思いだされた。コロンナとヴェニエルの二人だけをともなったドン・ホアンは、船室を出、小舟を横づけするよう命じた。二人の司令官を両わきに、甲板の上で小舟がひかれてくるのを待っていた若い総司令官の姿は、周囲の船にいた人々からいち早く認められ、わきあがる歓声がたちまち彼をつつんだ。

騎士も石弓兵も砲兵もいた。船乗りも漕ぎ手《こて》も、その大歓声に唱和した。とくに、イスラム船の鎖から自由になった人々と、これも鎖を今日以降は引きずらなくてもすむようになった囚人たちのあげる声が、中でもひときわ大きかった。もはや敵の眼を心配しなくてすむようになって、誰はばかることなく燃えさかるたいまつの火が、小さな湾内を埋めた大船団を、昼のような明るさで照らしていた。

小舟に乗った三人の司令官は、あまりの損傷のひどさに自力では航海できず、友船にひかれてこの湾までたどりついた、バルバリーゴの旗艦に横づけになった。真紅に塗られた帆柱は中途で折れ、帆桁《ほげた》は焼けおち、これも真紅の櫂《かい》は半数も残っていない。船上にあがった三人は、バルバリーゴの横たわる甲板下の船倉におりていった。

戦勝決定と同時に自分の副官の重傷を知らされたヴェニエルは、急ぎ小舟を駆って見舞ったのである。血の気のないバルバリーゴのかたわらには、彼とともに闘った参謀クィリーニの姿があった。だが、駆けつけたものの、もはや打つ手もないことを、二人のヴェネツィアの海将は、医師から告げられてもいたのだった。

見舞いに訪れたドン・ホアンにも、病状はすでに知らされていた。若い公子もコロンナも、慰めの言葉は一言も口にしなかった。

総司令官の姿を認めたバルバリーゴは、それまで横たわっていた寝台から身体を起そうとしたが、その力はもうなかった。ドン・ホアンは、バルバリーゴのかたわらにひざをつき、ヴェネツィアの海将の氷のような右手の上に、そっと自分の手をのせた。そして、まるでささやくように、イタリア語とスペイン語を混ぜながら、勝ったことを話しはじめた。

スペインの王弟は、メッシーナで会った当初から、このヴェネツィアの海将に好意を感じていた。ヴェニエルとは言い争った時期でも、バルバリーゴとならば喜んで会ったほどである。バルバリーゴの、静かで押しつけがましくない振舞いが、それでいて必要となれば断固として動かない首尾一貫した態度が、敬愛の念さえいだかせていたのである。また、キリスト教連合艦隊の首脳陣では、ただ一人の犠牲者となる哀れが、若い貴公子の胸をいっぱいにした。

バルバリーゴには、しかし、自分に優しく話しかける総司令官に、ほのかな微笑で応えるのが、できる唯一のことだった。ドン・ホアンは、再度バルバリーゴの右手を、今度は両の手でつつむようにした後で、はじめて立ちあがった。そして、コロンナとともに、クィリーニに導かれて船倉を出て行った。

あとには、ヴェニエルだけが残った。七十五歳の老将は、先ほどまでドン・ホアンがいた場所に立った。ひざをつこうにも、脚に傷を負っていて、曲げることができなかったのである。その姿のままで、ヴェニエルは言った。それは、気休めなど死んでも口にできない彼の性格そのままに、単刀直入な口調だった。

「わたしが心しなければならないことがあったら、遠慮なく言ってほしい」

アゴスティーノ・バルバリーゴの頭の中に、このとき突然、フローラの姿が浮んだ。はじめは、彼女がいつもしていたように、男の右腕に自分の頭をあずけて身を寄せる姿で。そして、次は、男の首に手をまわしたまま、全身をゆだねるフローラを。想い出は、過去へ過去へとさかのぼるようだった。彼女にはじめて会った聖《サン》ザッカリーア教会前の広場でのことが、昨日の出来事のように生き生きと、瞼《まぶた》に浮んだ。息子が、まるで小犬のように母親にまつわりつきながら、さかんになにかを語りかけ、それに母親が、優しく答えてやっている光景だった。

バルバリーゴは、はじめて心の底から微笑した。そして、思った。あの息子がいるから、フローラは生きていけるだろう。それに、死んだ後はなおさらわたしが、彼女のそば近くで守っていることもわかってくれるだろう。この二つのことをささえにして、女は生きつづけて行くだろう。

ヴェニエルに、曲がったことはなんであれ嫌悪《けんお》してやまないこの老将に、母と子のことを頼めるわけがなかった。老将は、もう一度その部下をじっと見つめた後で、わずかに首をふった。バルバリーゴは、上官を見あげたまま、船倉を出ていった。バルバリーゴは、一人残された。

もう、痛みは感じなくなっていた。ただ、どうしようもなく強い力で、眠気が襲ってくる。

男は、再び女の姿を思い浮べようとつとめた。だが、少し前まではあれほども鮮明に見えたものが、もう見えなくなっていた。突然、ほんとうに突然に、手に女の肉体を感じた。長い髪をなで分けてやったときに感じた、女のやわらかい豊かな髪と、冷たいひたいのふれ具合と細いうなじと。そして、ほほえんでいるのに頰《ほお》を流れる涙を、指先でぬぐってやったときの感触……。

従僕《じゅうぼく》が船倉に入ってきたとき、ヴェネツィアの海将は、すでに息をしていなかった。

ヴェネツィア共和国政府のまとめたレパントの海戦記録は、次の一行をこの男に捧《ささ》げている。

「参謀長《プロヴェディトーレ・ジェネラーレ》アゴスティーノ・バルバリーゴは、自ら望んだ死を、最も幸福な中で迎えた」

コルフ島――一五七一年・秋

ヴェネツィア領のコルフに引きあげてきた連合艦隊は、ここではじめて、戦果の全容を知ることができたのであった。

捕獲した敵側のガレー軍船――一一七隻《せき》

捕獲した敵側の小型船――二〇隻

他は、ウルグ・アリと逃げた四隻をのぞいてすべて、戦闘中に燃焼し沈没した船である。破損がひどくて、放置するしかなかった船も多かった。

イスラム側の戦死者――約八〇〇〇人

この中には、最高司令官アリ・パシャをはじめとして、イエニチェリ軍団の団長、レスボス、キオス、ネグロポンテ、ロードス等の総督たちもふくまれている。シロッコやウルグ・アリの一世代前の高名な海賊であったバルバロッサの二人の息子も、この戦死者名簿につらなっていた。トルコ艦隊の主《おも》だった者たところが、ほぼ全員戦死したことになる。

捕虜になった者の数――約一〇〇〇〇人

この中には、ドン・ホアンがスペイン王への贈物として選んだ、アリ・パシャの二人の息子がいる。二日後には死ぬ海賊シロッコも、当時はまだ捕虜の一人だった。トルコ宮廷の廷臣たちも、多くは捕虜になった。

解放されたキリスト教徒の奴隷《どれい》――約一五〇〇〇人

戦利品は、連合艦隊の参加国ごとに、それらの国々の戦力提供度に応じて分配された。

スペイン王は、五十七隻のガレー軍船を獲得し、捕虜も、これと同じ割合で得る。その他《ほか》に、トルコ船内で見つかった貴金属類の大半も、王のものとされ、残りはドン・ホアンが取った。

ヴェネツィア共和国は、四十三隻のガレー軍船に三十九門の大砲、八十六門の小砲、それに一千百六十二人の捕虜を得る。ヴェニエルには、二人が与えられた。

法王庁も聖ヨハネ騎士団も、サヴォイア侯国もその他の国々も、戦利品の分配の除《の》け者《もの》にはされなかった。一隻も自前の軍船をもっていなかった法王庁も、十七隻を所有する身になったのである。捕虜の分け前は、五百四十一人だった。
しかし、キリスト教側の払った犠牲も、少ないとは誰一人言えないものであった。
戦死者数——七五〇〇人
これは、イスラム側より数百しか少ないだけである。
負傷者数——約八〇〇〇人
この中には、左翼に配属された船上で奮闘し、左腕に銃弾を受けた、若きセルバンテスもふくまれていた。
戦死者と戦傷者の数を主要参加国別に分けると、次のようになる。

	戦死者数	戦傷者数
スペイン	二〇〇〇	二〇〇〇
法王庁	八〇〇	一〇〇〇
ヴェネツィア	四八三六	四五八四

ヴェネツィアの数字だけがくわしいのは、もともとが正確な統計を尊重する国柄《くにがら》だからである。スペインも法王庁も、軍船の「武装化」のために乗船させたときからす

でに、正確な数を知らなかったからで、点呼に答えなかった者が、戦死者とされたのであった。

それにしても、戦力提供の比率を思えば、ヴェネツィアの払った犠牲がいかに大きかったかは明らかである。とくに、指揮官クラスの戦死者の多さが目立つ。それも、地位の高い武将となると、法王庁の旗艦に乗っていたオルシーニ家の二人をのぞけば、戦死者の大部分はヴェネツィアの貴族であった。

各軍船の艦長クラスの犠牲者は、これはもう、十八人全員がヴェネツィア共和国民である。バルバリーゴ家からは、艦長三人をふくめて四人。コンタリーニ家も二人。ソランツォ家もヴェニエル家も、艦長の犠牲者だけでも一人ずつ出している。ヴェネツィア一千年の歴史を彩《いろど》った名家中の名家が、このときの戦死者名簿も彩ったのであった。

正確な数字を好むヴェネツィア共和国では、戦死者と戦傷者の職能別の内わけもはっきりしている。

	戦死者	戦傷者
艦長（貴族）	一二人	五人

艦長（市民）	六人	二〇人
戦闘員隊長	五人	二〇人
書記（副艦長格）	六人	四人
船員長	七人	一〇人
船乗り	一二四人	一一八人
砲手	一一三人	七九人
造船技師	三一人	七八人
聴聞僧	五人	三人
漕《こ》ぎ手《て》の長	九二一人	六八一人
漕ぎ手	二二七二人	二四七九人
戦闘員	一三三三人	一〇八七人
計	四八三六人	四五八四人

全力を投入して闘ったのは、貴族だけではなかった。ヴェネツィア船では、料理人まで闘った結果が、この数字であった。

これらの戦死者たちは、波間に消えていった人々をのぞいて、コルフ島に埋葬された。ヴェネツィア関係以外でも、故郷に連れ帰ると決まった遺体はごく少ない。皆、美しいこの島に墓をもつことになったのである。

東からの陽光を全面に浴びた丘陵が、それにあてられた。そして、以後二百年もの間、この広大な墓地は、「レパントの戦士たちの墓」と呼ばれつづけることになる。

ヴェネツィア――一五七一年・秋

ヴェニエルが、コルフに着いたその夜に早くも送りだした勝利を知らせる快速船が、トルコの軍旗を海面に引きずりながら入港した日、ヴェネツィア市民の間に爆発した歓喜は、とどまるところを知らないかのようであった。

犠牲が大きかったことは、誰《だれ》でも知っていた。だが、家族の一人を失って涙にくれる者も、これまでの戦いのときとはちがう。百年以上もの長い間、ヴェネツィアはトルコの攻勢の前に、後退につぐ後退を重ねてきたのである。

地中海では長年海運国ナンバー・ワンを誇ってきたヴェネツィア人は、水平線にトルコの半月旗を認めただけで逃げる他の国々の船乗りとはちがったが、それだけにトルコは、四六時中頭から離れない存在であったのだ。そのトルコを、完膚《かんぷ》なきまでに破ったのである。日頃《ひごろ》から醒《さ》めた性向で知られるヴェネツィア人だったが、このときはさすがに熱狂した。夜が更《ふ》けても、家々の窓からは灯《ひ》が消えず、広場は興奮した市民で埋まり、一杯飲み屋は、入口の扉《とびら》を開け放したまま朝を迎えた。

共和国政府も、涙を流すほどの喜びで勝報を受けたのだが、市中に滞在するトルコやアラビアの商人の身の安全も忘れなかった。勝利に酔った市民たちがこの人々を襲撃するようなことが起らないようにと、政府は、イスラム教徒たちを、ヴェネツィア市内の屋敷の一つに隔離する。これが、しばらくして、トルコ商館の創設につながることになる。

政府は、また、このたぐいまれな戦勝を記念するために、十月七日を国の祭日と決め、毎年その日は、国をあげて祝うと決めた。そして、共和国最高の画家とされていたティツィアーノに、戦闘を描いた大壁画の制作を依頼した。

だが、ティツィアーノは、スペイン王フェリペ二世より同じ題材の絵を頼まれている、と言って断わってきた。その年八十三歳のヴェネツィア最高の画家は、当時では全ヨーロッパでも最高の画家とされていたのである。ヴェネツィア政府は、この巨匠に年金を与えて保護しているのは、ヴェネツィア政府ではなく、スペイン王であることも知っている。他の誰かに、依頼先を変えるよりしかたがなかった。

しかし、選ぶのに苦労はない。ティツィアーノに次ぐとなれば、五十三歳で働き盛りの、ティントレットがいた。それに、ティントレットのほうが、大画面となれば、ティツィアーノを越えると言ってもよい技量の持主である。ティントレットは、早速制作を開始した。

アゴスティーノ・バルバリーゴが重傷を負った瞬間も描かれていたといわれるこの大絵画は、三年後の一五七四年に完成する。元首官邸《パラッツォ・ドゥカーレ》内の一室に飾られた。だが、一五七七年に起った火災で焼失してしまう。現在、元首官邸内のサーラ・ディ・スクルッティーノ（投票の間）にある同じ題材の大壁画は、火災後に、アンドレア・ヴィチェンティーノによって描かれたものである。これには、大画面の中央近くにヴェニエルは描かれているが、バルバリーゴの姿はもはやない。

だが、ヴェネツィアでは、一五七一年の秋当時でも、凱旋《がいせん》将軍を迎えての華やかな祝典は行なわれなかった。レパントの海戦は勝ったものの、ヴェネツィア共和国の直面する問題が解決したわけではなかったからである。

ギリシアの海——一五七一年・冬

ヴェニエルは、すぐにも東の海に引き返したかったのである。今ならば、地中海は開け放たれたも同然なのだ。トルコ海軍は無きにひとしく、海賊の首領たちの多くも、レパントの海の藻屑《もくず》と化していた。今ならば、かつてはヴェネツィアの基地でありながら、その後トルコに奪われつづけたペロポネソス半島のいくつかの港も、再復できるであろうし、攻略直後で占領体制も不備なキプロスだって、再び手中にできるかもしれなかった。

連合艦隊がコルフにとどまる間、ヴェニエルはドン・ホアンに、それを説いてやまなかった。

だが、若い勝利者は、わがものになったばかりの華麗な勝利に酔っていた。長い歳月をかけての周到な準備の結果というのではなく、予想もしなかったのにころがりこんできたような勝利だったから、なおのことそれに酔ってしまったのである。レパントの勝利には、彼の力が、というよりは意志が大きく貢献したのだが、それを冷静に客観的に評価し、さらに次の勝利につなげることを考える余裕さえ、失ってしまっていたのであった。

そのうえ、ここぞとばかりにスペイン王の重臣たちは、もはや航海には不適な季節であることを強調した。コロンナも、早くローマにもどって法王に報告し、ピオ五世から与えられるであろう褒賞《ほうしょう》を思えば、再び海に出かける気にはなれなかった。

ヴェニエルは、孤立した。ドン・ホアンも、日がたつにつれて、戦い終了直後の熱い友情は忘れてしまったようであった。それどころか、総司令官である自分に許しも乞《こ》わずに、ヴェニエルが勝手にヴェネツィア本国へ勝報を乗せた快速船を出発させたと言って、怒り狂っていた。再び、総司令官とヴェネツィア艦隊司令官の間は険悪になった。そして、自国の立場を守りながらドン・ホアンやコロンナの気分をやわらげることのできた、アゴスティーノ・バルバリーゴはいなかった。

それでも、ひとまず、翌一五七二年春の集結は決まった。集結地は、シチリアのメッシーナではなく、コルフ島と変った。

これだけを決めた後で、ドン・ホアンは、配下の船だけをひきいて、西に向って発《た》っていった。コロンナも、分捕り船を連れ、アドリア海にある法王庁領内の港、アンコーナに向う。アンコーナからローマまでは、陸路だ。ローマでは、法王自ら主催する壮麗な凱旋《がいせん》式が、彼を待っているはずだった。他の国々の船も、自国の港に向って発って行った。ドーリアも、根拠地ジェノヴァに向って帆をあげる。ヴェネツィア艦隊だけは、コルフにとどまることになった。彼らだけでは東地中海遠征は無理でも、アドリア海の要《かなめ》コルフと、エーゲ海に浮ぶ「航空母艦」クレタを守ることは充分に可能だ。それに、翌年の春に予定された連合艦隊の集結地は、コルフである。集結地に半年も前から居つづけると決めたことは、ヴェネツィアの、連合艦隊体制への期待を示す、なによりの証拠でもあった。

ドン・ホアンがメッシーナに帰還したのは、十一月一日である。スペイン王領でもある南国シチリアで、勝利の栄誉を満喫しながら、艦隊ともども冬越しをすることになっていた。

セバスティアーノ・ヴェニエルだけは、数週間後、ヴェネツィアへ向った。凱旋式出席のためではない。ヴェネツィア共和国政府からの、召還状を受けたからであった。

コンスタンティノープル——一五七一年・冬

トルコ帝国の首都コンスタンティノープルに駐在するヴェネツィア大使バルバロは、窓を板で打ちつけられ、昼でもろうそくの灯《ひ》でくらす日々をおくりながらも、情報収集と祖国への報告だけは怠らなかった。だから、レパントの海戦の日から一ヵ月と十日たった十一月十八日、逃げおおせたウルグ・アリが、三十一隻《せき》を連れて帰還したことも知っていた。しかも、その三十一隻のうちの四隻だけがレパントの生き残りであることも、正確に把握《はあく》していたのである。例によって暗号文の報告で、これも秘《ひそ》かにヴェネツィア本国に送られた。

その数日後、大使バルバロは、まったく一年半ぶりに戸外の空気を吸うことになった。宰相ソコーリからの呼び出し状がとどいたからである。これまでのようなユダヤ人の医師を通じてではなく、宰相と大使という、公的な会談の招聘状《しょうへいじょう》であった。

慣例に従って、バルバロは大使の正装に身をつつみ、従者三人と通訳一人を従えて大使館を後にする。急な坂の多いペラ地区を馬で行くのは、一年半ぶりに戸外に出た六十代の大使にとって、慣れをとりもどすには時間のかかる苦労だった。

金角湾に向っての下り坂を降りると、そこには、これも長い間使われなかった大使用の舟が待っていた。これに乗り、金角湾を渡って、対岸のコンスタンティノープル地区に着く。そこからはゆるい登り坂をしばらくあがり、左に折れれば、トプカピ宮殿の中央門に出るのだった。

一年あまりの間眼《め》にしなかった金角湾一帯のさびれようを、バルバロは聴いてはいたのだが、やはり自分の眼で見るのは別だった。さびれようは、異常とさえ映った。経済能力に長じていないトルコ民族は、被支配民族であるギリシア人やユダヤ人の助けを借りても、いったん西欧との交易が途絶えると、経済の衰えはおおいがたいほどになってしまうのである。首都でさえ、このさびれようだ。シリアやエジプトでの状態は、想像するも容易だった。

また、トルコに征服されたロードス島も、かつての繁栄は想《おも》い出《で》になってしまっている。キプロスの将来も、似たようなものになるにちがいなかった。

損をするのは、西欧の貿易商人だけではないのである。トルコも、得るものよりも失うものの多いのでは、同じことなのだ。だが、そのような考え方は、トルコ人の領土拡張欲の障害にはならないらしかった。通商国家ヴェネツィアの国益を守るのが任務の大使バルバロは、このようなことに考えがおよぶたびに、言いようのない絶望を感じるのだった。

トプカピ宮殿の中央門を入ると、いくつかの道が広い庭園の中を通っている。右に行けば、スルタンの宮廷全部の食をまかなう、広大な料理場がある。反対に左側一帯は、護衛兵のたまりになっていた。

中央の道を行けば、もう一つの門にぶつかる。そこから中は、図書館や謁見室《えっけん》などがあって、スルタンの公式の区域と言ってよい。

最も左に開いた小路《こうじ》をとれば、まっすぐにハレムの入口に通じていた。スルタンと妻妾《さいしょう》たちの住む区域で、この内部には、男ならば料理人でさえも入ることはできない。唯一《ゆいいつ》の男性であるスルタンと、多くの女たちと、そしてまた多くの子供たちと、その他《ほか》には去勢された宦官《かんがん》だけの世界だった。

トルコの宮廷に仕える人々や、大使など外国の要人は、ハレムへの道と中央の道の間に通る、もう一本の道がなじみ深かった。この道の行きどまりには、スルタンのプライベート・ゾーンであるハレムと背中合わせになる形で、閣議室があるからだった。

その日のバルバロも、この道をたどる。いつもならば緑で埋まっている広大な庭園も、十一月も末近くとなれば淋《さび》しくなる。冬枯れの道には、手入れはゆきとどいているといっても、落葉が散ってはつもるのはどうしようもなかった。

だが、大使バルバロの心中は、冬枯れどころか踊っていた。老練な外交官である彼のような男さえ、心が踊らずにはいられないほど、ヴェネツィア人にとってのレパントの勝利は大きかったのである。

閣議用の部屋には、左右に大臣たちを従えて宰相ソコーリが待っていた。居並ぶ大臣たちの中には、対西欧強硬派で知られている、ピラル・パシャの顔もあった。

かつては、一国を代表する大使でさえも、トルコでは、スルタンの家臣並の、平伏する礼を要求されたものである。もちろん、スルタンの謁見の間でのことだ。だが、西欧人にとっては屈辱的なこの礼法も、余裕ある大君主であった先のスルタン・スレイマン大帝の時代になってからは、スペイン、フランス、ヴェネツィアにドイツのハプスブルクという大国だけは、しないでもよいということになっていた。

会談の相手が宰相や大臣たちであれば、スルタンに対するときのような礼はつくさないでよい。また、椅子《いす》も与えられた。

椅子は、トルコではその上にあぐらをかいて坐《すわ》る式で、それに適して広くゆったりし、高さも低い。現代の、内部につめものをし、外側を種々の布地でおおった、坐り心地のすこぶる良いソファや長椅子は、実は、トルコ式椅子「ディヴァン」を改良したものなのである。

トルコ宮廷の閣議室は「ディヴァン」と呼ばれたが、これも、この部屋がこの式の長椅子で埋まっていたことから生れた通称であった。現代のイスタンブルの街には、ディヴァンという名のホテルがあるが、長椅子のほうではなく、閣議とか閣議室を意味したいのだと思う。

イタリア語では現在でも、長椅子のことをディヴァーノという。ソファも、同じ意味の言葉に属す。英語でも、ソファとかディヴァンとかいうのではなかったろうか。ディヴァンという語自体は、語源を、アラブかペルシアに求められる言葉であった。

西欧でこの式の椅子が流行《はや》りはじめたのは、十七世紀に入ってからで、十八世紀のロココ時代に、最も美麗なものがつくられている。十六世紀以前の西欧には、この式の椅子や長椅子は、オリエントからもちこまれたものでないかぎり一つも存在しない。ルネサンス時代の長椅子といえば、木製の長櫃《ながびつ》であったからだった。

やわらかい感触の椅子に、しかしトルコ式ではなく西欧式に腰をかけた大使は、自分の右背後に、人の気配がわずかにするのを感じていた。従者たちは屋外に待っており、通訳は、左背後にひかえている。副官は、左横に立っている。右背後には、人のいるはずがないのである。

ヴェネツィア大使には、見当がつかないでもなかった。その部分の壁面の一部は、大理石の透かし彫りがはめこまれていたが、その向うには厚いカーテンがたれている。人の気配は、そのカーテンの向うから漂ってくるのだった。

バルバロは、これが噂《うわさ》に聴いた、スルタンが閣議中の大臣たちを隠れて監視したいと思うときに使う、特別につくられた小窓にちがいないと思った。ならば、そこに人の気配がするということは、スルタン・セリムがいるということである。父のスレイマンとちがって、国政は大臣たちにまかせてしまい、自らはハレムで過ごすほうを好むというセリムが考えだした、陰険な監視の方法であった。

このような雰囲気《ふんいき》の場では、大使バルバロも、告げられる内容に期待をいだくことはやめてしまった。互いに国益を第一と思いながらも、共通の視点を探ろうとしてできない相手ではなかった、老宰相ソコーリとのかつての会談が、このような場所でくり返されるはずもなかった。

案の定、宰相は、冷たい口調で話しはじめた。

「レパント沖の海戦では、たしかにわれわれは、完敗と言ってもよい敗戦を喫した。だが、あなた方からはキプロスを奪うのに成功している。つまり、あなた方は腕の一本を失ったのに対し、われわれは、ひげをそられてしまったわけだ。だが、ひげは再びはえてくるが、切られた腕はもとどおりにはならない」

ヴェネツィア大使バルバロは、無念きわまりない想いだったが、宰相の言葉が的を突いていることは認めざるをえなかった。ただ、こう言ったときの老宰相の眼が、なにかを告げたそうに一瞬じっと大使にそそがれたのを、バルバロは見逃さなかった。

だが、バルバロとて、外交担当者の配慮は忘れはしない。宰相の送ってきた無言の言はそしらぬ顔で受けた後の彼の口からは、レパントの海戦の結果がどれほど大きいものであり、これによって西欧諸国の連合艦隊体制は未来永劫《えいごう》につづくであろうという、力強い楽観論が次々とほとばしり出た。対西欧強硬派の首領格のピラル・パシャの顔色が、怒りで真赤に変ったほどだった。

会談は、これで終りだった。再び、打ちつけられた窓に囲まれた大使館にもどったバルバロは、この日の一部始終を、本国政府に報告するためにペンを取った。

報告書は、二部書かれた。一部は普通の文体のヴェネツィア方言のものだったが、もう一部は、暗号を使った。暗号文の報告書のほうには、老宰相の視線の動きを書き加えた。それがなにを意味しているかという、彼の予測も書いた。

だが、ヴェネツィアの「十人委員会」からは、トルコとの和平交渉を再開せよという指令はとどかなかった。ヴェネツィアは、一五七二年度も、連合艦隊に賭《か》ける気でいたのである。

大使バルバロは、この極秘の命令を受けなくても、新しい仕事を見つけていた。スルタン・セリムが、逃げ帰ったウルグ・アリをとがめるどころか、このもとキリスト教徒の海賊に、クリザーリという新しい名まで与えたという一事が、老大使の関心を強くひいたからである。

クリザーリとは、剣のアリ、という意味のトルコ語だ。スルタンは、この「剣のアリ」を、トルコ海軍の最高司令官に任命し、イスラム艦隊の再建を命じたのであった。ウルグ・アリは、航海に不適な冬を完璧《かんぺき》に活用した。勝ったキリスト教諸国の艦隊が南国の港町で休んでいる間、彼だけは休まなかった。コンスタンティノープルの造船所もガリーポリの造船所も、ウルグ・アリの指導のもと、新船建造にフル回転する。

スルタンは彼に、無限の財源も約束していた。

その結果は、バルバロならずとも眼を見張るものだった。

レパントの敗戦から三ヵ月もたたない一五七二年一月五日、スルタンに報告された再建中の艦隊の規模は、次のようなものだったのである。

進水ずみのガレー軍船　四五隻
建造完了のガレー軍船　二五隻
完成まぢかのガレー船　一一隻
建造工程に入っている船　八隻
進水ずみの小型ガレー船　八隻

この他に、小アジアとギリシアの港で、百一隻が建造中ということだった。合計、百九十九隻になる。レパントの海戦以前と、ほぼ同じ規模だった。

これほどの大船隊が、春の訪れとともに地中海に乗り出してくるのである。しかも、これを指揮するのは、ウルグ・アリだった。

これらのことを報告するバルバロの筆が、いつにない沈痛な調子を漂わせていたのは無理もない。ヴェネツィア一国では、またしても対抗不可能な力を突きつけられたことになったからであった。

イスラム文明圏では、男のひげは、一人前の男であることを示すなによりの表示なのである。ひげのないのは、未熟な若者か、でなければ同性愛の対象と見なされかねない。

レパントの海戦に負けてひげを失ったトルコ海軍は、半年もたたないうちに、一人前の男として再登場することになったのである。

西欧では、六十八歳の法王ピオ五世の健康状態が、予断を許さないところにきていた。

ローマ——一五七二年・春

国家間の真意の探りあいと、しかし同時に、ここまで来てしまっては後《あと》に退《ひ》くわけにはいかないという、居直りに似た意識を土台にはじまった一五七一年に比べれば、一五七二年は、よほどなめらかにことが運ぶはずであった。実際、ことはなめらかに運びはじめていたのである。

レパントの海戦の勝利によって好転した状況に、なおも追い討ちをかけてそれを完《かん》璧《ぺき》にすることは、誰《だれ》しもが考えたことだったのだ。

対トルコを目標にした神聖同盟連合艦隊の主要参加国が、スペイン王国、ヴェネツィア共和国、法王庁の三国で充分ということは、前年の戦果が立派に証明していた。法王庁も、イギリスやフランスやドイツの諸侯まで引きこもうとは、もはや考えなくなっていた。法王の親書をふところにした特使たちが、早春の北ヨーロッパの泥道《どろみち》に馬を駆る苦労もなくなったのである。

また、連合艦隊の総司令官の人選で争うことも、もはやなかった。ドン・ホアンを他の誰かに代えようと考える者はいなかったのだ。ヴェネツィア側も、この若い武将の、複数の国からなる連合艦隊を統率する才能は認めていた。副司令官も、マーカントニオ・コロンナに反対を唱える国はなかった。

経費分担についての問題も、はじめから解消していた。捕獲したトルコ船や捕虜を分配したので、各国とも鷹揚《おうよう》になったのか、細かいところまで決めるのに固執した前年のようなめんどうはなかった。各国が可能な船と人をそれぞれ提供する、ということでおちついたのである。

実際、各国とも、サヴォイアやマルタに本拠をおく聖ヨハネ騎士団のような小国でさえ、分配されたトルコ船の修理に忙しくて、新造船をつくる時間も、また必要もなかったのだ。前年には、自前の軍船がなく、トスカーナ大公メディチに、大公の位の正式な承認とひきかえに軍船提供を要請しなければならなかった法王庁も、今では十七隻を有する一応の海軍国になっている。

ヴェネツィア共和国も、人集めに苦労することもなくなっていた。前年には、疫病《えきびょう》に悩まされたり募集した五千人が本国に足どめになったりして苦労したヴェネツィアだったが、今年は、その五千をすぐに使える。そのうえ、千人余りのトルコ人の捕虜を漕《こ》ぎ手《て》に転用できるという、かつてもたなかった利点まで得ていた。使ってみれば、鎖つきの奴隷《どれい》の漕ぎ手は、なかなか効率のよいものであることもわかる。当時のある艦長は、最高はダルマツィアとギリシアの出身者、次いでは奴隷、海に慣れない北イタリアの志願者よりも使いよい、と言っている。
前年、つまりレパントの海戦時のヴェネツィア艦隊は、漕ぎ手を出身地方別に分ければ、次のようになっていた。

ガレー軍船
ヴェネツィア本国からの志願者――三八隻《せき》
ヴェネツィア、受刑者――一六隻
クレタ島からの志願者――三〇隻
イオニア海のヴェネツィア植民地からの志願者――七隻
ダルマツィア地方からの志願者――八隻
北イタリアの属州からの志願者――五隻
ガレアッツァ

六隻すべて、ヴェネツィア本国からの志願者
総計——一一〇隻

志願者は自由民であるから、給料を払わねばならない。受刑者や奴隷は、その面の経費は考える必要はなかった。

だが、いかに経費が安くあがろうと、ヴェネツィア共和国は、鎖つきの奴隷に、全船の櫂《かい》をあずけるわけにはいかなかった。

ヴェネツィアの船の特色の一つは、砲撃を浴びる危険の多いガレアッツァをのぞいて、漕ぎ手は甲板の上に坐《すわ》って漕ぐ式になっている。これは、接近戦が普通のガレー船同士の戦いでは、船をあやつる必要のなくなった後の白兵戦に、漕ぎ手まで戦闘員として活用するためであった。人的資源に恵まれないイタリアの都市国家は、いずれもこの方式を踏襲している。ただ、ヴェネツィアでは、この方式はより徹底していた。

現在でも、ヴェネツィアの元首官邸《パラッツォ・ドゥカーレ》の中の武具室には、当時の漕ぎ手用の防弾(矢)チョッキと言ってもよいものが展示されている。一面に鉄鋲《てつびょう》を打ちこんで、布製だが頑丈《がんじょう》なものだ。これを着け、先端にとがった鉄の鋲のついた棒で武装していたのだ。ヴェネツィアでは彼らも、一人前の戦士として扱われていた証拠である。戦死

すれば、貴族ならば払われない遺族年金も、この戦士たちの遺族には支払われた。

これほどの待遇を何百年となく受けつづければ、そして、基地や港湾使用料のような感じで、これまた長年経済援助を受けつづければ、この地方の人々に本国の市民と同じ感情が、ヴェネツィア共和国に対して生れてきたとて当然である。ダルマツィアの各町も、コルフをはじめとするイオニア海の島の人々も、ヴェネツィア共和国と自分たちの関係を、運命共同体のように思って疑わなかった。この地方こそが、ヴェネツィアの滅亡まで、どこよりも忠実に、ヴェネツィア共和国と運命をともにすることになるのである。

現代はユーゴスラヴィアであるダルマツィア地方にいたっては、鐘楼から町のつくりまで、ヴェネツィアとあまりにも似ているのに、住民がスラブ系に一変した現代でさえ驚かされる。この地方が、ヴェネツィア共和国の経済、軍事圏に属していただけでなく、文化圏にも属していたからだった。いかに給料を払う必要はないとはいえ、トルコの奴隷に代えてすむ問題ではなかったのである。

それに、奴隷の漕ぎ手を使うとなると、監視人もおかねばならなくなる。船の中で監視しあう関係が存在するということは、ヴェネツィアの海の伝統とも、相容れることではなかった。

人集めの問題では、スペインや法王庁となると、前年でも苦労は少なかったが、一五七二年度はなおさら、容易であったろうと思われる。
レパントの戦勝の知らせは、またたくまに、地中海沿岸の地方に広まっていた。生活のめどがなくわずかの給料目当てに戦場に出向くことを承知した男たちの気分にも、勝つ戦いへの参加となれば、やはりちがいは生れてくる。メッシーナやナポリやジェノヴァは、周辺の農村からだけでなく、遠くフランスやドイツからやってきた男たちも加わって、早々とあふれそうな状態になっていた。

そして、ヴェネツィア共和国政府は、訪れたこの好機を活用することで一致していた。一戦がすんでしまったらもう航海に適した季節は終ってしまったという、前年の轍《てつ》は踏んではならなかった。なるべく早く、夏に入る前に連合艦隊の出陣を実現し、夏期と、秋の半ば頃《ごろ》までの航海に適した季節を、存分に利用しなければならなかった。そのために、ヴェネツィアは、予想される障害すべてを、事前に解決しておくことに決めたのである。

まず第一にやったことは、セバスティアーノ・ヴェニエルの、ヴェネツィア海軍総司令官からの解任だった。

職務不履行の罪を問われての解任ではないから、裁判にかけられたわけではない。ただ、本国に召還されたヴェニエルは、元老院から、レパントの海戦での功績は充分に認め、賞讃《しょうさん》の言葉もないほどだが、ここは国のためと思って退いてくれ、と告げられたのである。ドン・ホアンがヴェニエルに対して良い感情をいだいていないことは、明らかな事実であった。ヴェネツィア政府は、若き貴公子の気分を害するよりも、「ミスター砦《とりで》」を切るほうを選んだのである。ヴェニエルに代わって選出されたのは、温厚な人柄《ひとがら》で知られたフォスカリーニだった。

しかし、これは、ヴェネツィア政府の犯した最大の誤りになる。ヴェニエルを去らせ、バルバリーゴとカナーレを失ったヴェネツィア艦隊で、野戦型の指揮官となると、マルコ・クィリーニ一人しかいなくなっていた。

ヴェネツィア政府は、そのうえ、もう一つの誤りまで犯してしまう。ドン・ホアンを懐柔しようとした策謀の、配慮に欠けたアプローチのしかたがそれだった。

ヴェネツィアは、ドン・ホアンがレパントで示した才能と情熱を、実質的な目標を与えて永続させようと考えた。秘《ひそ》かに彼に、モレアの王位を約束したのである。

モレアとは、ギリシアのペロポネソス半島の当時の呼び名で、十六世紀はじめまではヴェネツィア共和国の基地が、戦略要地すべてを網羅《もうら》していた地方である。半島の最南端モドーネとコローネの二つの港は、「ヴェネツィアの二つの眼《め》」と言われ、クレタ、キプロス、コルフに次ぐ重要基地だった。ここからナウプリオン、ネグロポンテにかけては、現代でも、ヴェネツィア人のつくった城塞《じようさい》が、港に入るたびに眼につくという感じで点在している。内陸部領有には関心の薄かったヴェネツィアも、沿岸地方の基地確保には熱心であったからだ。

しかし、このペロポネソス半島も、十六世紀に入るや、ビザンチン帝国を滅亡させて勢いにのるトルコに、次々と陥《お》とされていくのを、もはやヴェネツィアは、止める力をもたなかった。はじめは内陸部、その後は海岸地方の基地と、ヴェネツィア基地はトルコの基地に変っていった。

その、ほぼ全半島がトルコ領になってしまっていた「モレア」を、ヴェネツィアも協力して再復に成功したあかつきには、ドン・ホアンの王国にしようという話である。敵の手中にある地方を与えると約束するなど、ずいぶんふざけた提案のように思えるが、陸軍力さえあれば、当時のヴェネツィアの力をもってすれば不可能事ではなかった。ドン・ホアンが乗り気になったのも当然である。

レパントの英雄と騒がれるようになっても、この英雄は、所詮《しょせん》は部屋住みの身分であった。

十四歳の年にようやく王弟と認められたのも、腹ちがいの兄のフェリペ二世の心中に、亡《な》き父の隠し子への兄弟愛が芽生えたからではない。一度もともに育ったことのない弟とは、ともに育った仲の弟でさえ敵にまわりかねない時代、他人よりも不都合な存在になる場合が多かった。フェリペ二世は、この十七歳年下の異母弟が、使える駒《こま》と思ったから、オーストリア公にもし、王弟としても認めたのである。どこであろうと、王位など与える気は毛頭なかった。

また、フェリペ二世自身が、有能な君主ではあったろうが、心を開く型の男ではなかった。後年ヴェルディ作曲のオペラで有名になる、長子のドン・カルロスの不幸な死は、この父と子の悲劇的な関係が、単に子の側に責任があったとは思えない暗さをたたえている。実の息子に対してさえ、想《おも》いを隠す男だったのだろう。腹ちがいの弟、しかも死んだ息子との年齢の開きと同じくらいに年下のこの弟に、疑惑を捨てきれなかったのも当然だった。以前からささやかれていたこの兄弟の不仲が、レパント以後は公然と人々の口の端《は》にのぼるようになる。

ヴェネツィア政府は、この王の疑惑に、油をそそぐようなことをしたのだ。そして、ドン・ホアンのほうも、強大な権力をもつ兄の疑惑を正面から受け、それをはね返すほどの、強い性格の持主ではなかった。

一見、なにもかも順調にすべり出したかに見えた一五七二年の「十字軍」も、このように種々の不安の種をかかえていたのである。

そのうえ、五月一日、法王ピオ五世の崩御が報ぜられた。新法王には、ただちに、ピオ五世と同じイタリア出身のグレゴリオ十三世が選出されたが、このおだやかな性格の新法王は、争いごとならばなんであれ、避けることをまず考える男でもあった。

メッシーナ――一五七二年・夏

ヴェネツィアはすでに、百隻のガレー軍船に六隻のガレアッツァからなる艦隊をコルフに集結させて、出陣の準備を完了していた。新たにヴェネツィア海軍総司令官に選出されたフォスカリーニも、早々と島に到着ずみだ。

五月、バルバリーゴの後を襲って新参謀長に選ばれていたジョヴァンニ・ソランツォは、連合艦隊総司令官のドン・ホアンを迎えに、二十五隻のガレー船を従えて、メッシーナに向った。ドン・ホアンもすでに、この南の港に来て待っている。コロンナも、法王庁艦隊をひきいてメッシーナに向けて南下中、という知らせも入っていた。サンタ・クルズ侯指揮の三十六隻のスペイン艦隊も、編成地のナポリを後にしている。マルタからも、二隻が北上中だった。

しかし、ヴェネツィアの参謀長が到着したメッシーナでは、予期しない問題が起っていた。

前年度でも争点の一つになっていた連合艦隊の戦略目標をどこにするかで、ドン・ホアンに従《つ》いてきていたスペイン王の家臣たちから、強硬な要求が出されていたのである。彼らは、今年こそは絶対に、北アフリカへ向って海賊をたたくことを主張した。一方、ヴェネツィア側は、前年と同じく東地中海に向い、トルコ艦隊を壊滅すべきだと強調する。ウルグ・アリひきいるトルコ艦隊が、コンスタンティノープルを出港したとの知らせも入っていた。

だが、スペイン側は主張をしりぞけない。対立は、激化する一方だった。そのうちに、コロンナも入港する。サンタ・クルズ侯も到着したが、これはスペイン側の票を一票増やしただけだった。

妥協点を見出《みいだ》す役を負うことになってしまったドン・ホアンは、ヴェネツィアのために、キプロスに代わるどこかを東地中海で獲得するのにまず協力してはどうか、と、フェリペ二世に提案したが、マドリードからは返事も来ない。次いで、それならば夏中に、スペイン艦隊だけでアルジェを攻撃し、そこを根城とするウルグ・アリ配下の海賊たちをたたき、そのすぐ後で東地中海に向うことにしては、とも提案したが、今度も王からの回答はなかった。

それでも、ドン・ホアン、コロンナ、ソランツォ、サンタ・クルズの出席した作戦会議は、出港の日を六月十四日と決めることはしたのであった。

ところがドン・ホアンは、出港と決まった日の二日前になって、突然、出港無期延期を発表したのである。

驚いたコロンナとソランツォが詰め寄ったが、総司令官は理由を言おうとしない。だがついに、フェリペ二世の意向であることをほのめかした。

ドン・ホアン自身も、なぜこのときになってスペイン王がこのような命令を送ってきたのか、フェリペ二世の真意を測りかねているようだった。

それでも、若い総司令官は、九隻のスペイン船を提供する、これらをコロンナの指揮下に加え、艦隊全体の指揮も彼にまかせるから、ヴェネツィア艦隊とともに東地中海に向ってくれ、と言った。自分はメッシーナに残り、アルジェ攻めの準備をする、というのである。

コロンナは、九隻では足りない、せめて二十五隻は分け与えてほしい、と頼んだ。法王の権威を使ってスペイン王を説得してもらうにも、代わったばかりの新法王では、効果のほども期待できなかった。

ドン・ホアンは、スペイン人の参謀たちと協議した末、二十二隻のガレー軍船、一千人のスペイン兵、四千人のイタリア兵を貸すことを承知した。

二十二隻のスペイン船、十二隻の法王庁の船、ソランツォがひきいてきた二十五隻のヴェネツィア船、それにコルフで待機中の七十五隻のヴェネツィア船を加えると、百三十四隻になる。それに、六隻の「浮ぶ砲台」もある。他《ほか》に、クレタで合流することになっている船隊も加えれば、百五十隻を上まわる戦力となり、レパントのときの二百余りに比べれば劣るが、これでも、トルコ艦隊に充分に対抗できる戦力だった。

それで、戦闘員の乗船に手間どっているスペイン船十五隻は後から追いつくということにして、東地中海へ敵を求めて出陣することが決まったのである。ヴェネツィア人にしてみれば、ひとまずの安堵《あんど》であったろう。


コルフに到着したのは、七月十五日である。ここで、待機していたヴェネツィアの七十五隻と合流し、ヴェネツィア海軍総司令官のフォスカリーニも加わって、コルフを後にする。そこからペロポネソス半島ぞいに南下し、半島の先端をまわって、航路を東にとった頃であった。

追いかけてきた伝令船によって、ドン・ホアンが、残りの全船をひきいてメッシーナを出港したという知らせがもたらされた。フェリペ二世が、先の命令を撤回したからというのであった。

コロンナとヴェネツィアの海将たちの間で、協議が行なわれた。コルフ島に引き返して、そこでドン・ホアンの到着を待ち、その後で再び東地中海へ向うか、それとも、ドン・ホアンには追いついてもらうよう依頼する伝令を送り、艦隊はこのまま前進をつづけるか、この二者択一を迫られたからである。

すでに出陣している艦隊を、再び根拠地に、しかも大艦隊の根拠地としては、シチリアのメッシーナ以上に設備がととのい、安全でもあるコルフの港に連れ帰ることは、この機を逸しては再び好機はめぐってこないと怖《おそ》れているヴェネツィア側にとって、できうるかぎり避けたいことであった。コロンナも、これに同意する。艦隊は、総司令官ドン・ホアンに伝令を送りだした後、東に向っての前進を再開した。

ペロポネソス半島の南端にくっつくように浮ぶチェリーゴは、いまだヴェネツィアが領有している島である。艦隊がそこに到着したのは、八月の四日だった。

ここで、ウルグ・アリひきいる百六十隻のトルコ艦隊が、すぐ北のマルヴァジアの港にいるとの知らせを受けとった。一日の航海で行き来できる距離である。キリスト教艦隊は、海戦にそなえての陣容を決めた。

レパントの海戦時と同じ、混合陣型である。ただし、今度は圧倒的にヴェネツィア船が多いので、三隻のヴェネツィア船に一隻のスペイン船と一隻の法王庁船を、組み合わせることになった。また、指揮官も、中央に布陣する本隊は、コロンナの船を中心に、左をヴェネツィア艦隊の総司令官フォスカリーニ、右はスペイン艦隊司令官のドン・アンドレアーダがかためるとなると、左翼も右翼も、指揮はヴェネツィアの海将たちにまかせるしかない。その年の連合艦隊には、前年に疑惑を招く行動をとった、傭兵《ようへい》隊長ドーリアは参加していなかった。

この間、ウルグ・アリは、キリスト教艦隊の動静を察知してか、マルヴァジアの港から一歩も出てこない。

出てきたのは、八月の十日になってからである。それでも、本格的な海戦をする気にならないのか、両軍の間では、ちょっとした小ぜり合いがなされただけだった。損害はトルコ側に多く、七隻のガレー船が使用不可能な状態で放置され、ウルグ・アリは、再びマルヴァジアに引きこもってしまったのである。

だが、このときになって、どのような心境の変化をきたしたのか、コロンナが、ドン・ホアンがコルフに着いているはずだから、われわれも引き返して、コルフか、それとも、そこまでのどこかの海域でおち合うことにしよう、と言いだした。

彼のあげた理由というのは、次のことだった。

ウルグ・アリは、長年の海賊稼業《かぎょう》で、地中海はすみずみまで知りつくしている。われわれの監視の眼をあざむいて、先まわりし、五、六十隻も従えて航行中のドン・ホアンの一行を襲うことなど、朝飯前であるにちがいない。だからここは、われわれのほうが引き返して、なるべく早くドン・ホアンの一行と合流すべきである。

ヴェネツィア側の海将たちは、いっせいに反対を唱えた。

しかし、この年のヴェネツィア艦隊には、小柄で貧相な体格のコロンナを頭上から押しかぶせるように威嚇《いかく》した、セバスティアーノ・ヴェニエルはもはやいない。ヴェニエルの怒声を浴びるたびに萎縮《いしゆく》するコロンナは、まるで鷲《わし》の前の鳩《はと》のように見えたものであったが。

ヴェニエルとはまったく反対に温厚な性格の持主であった、一五七二年度のヴェネツィア艦隊総司令官フォスカリーニは、連合艦隊の指揮権は、総司令官とおち合うまでは、ドン・ホアンからゆずられた自分がもつ、というコロンナの主張に屈したのである。艦隊は、敵を目前にしながら、引き返すことに決まった。

しかし、チェリーゴの島を発《た》ち、ペロポネソス半島をまわって北上し、ザンテの島までもどってきたが、ドン・ホアンとはいっこうに出会わない。しかたなくさらに北上をつづけ、コルフ島についたところで、ようやくドン・ホアンと会うことができた。ドン・ホアンは激怒していた。待っていなかった、というのである。スペイン船を指揮していたドン・アンドレアーダにいたっては、死罪に処すとおどかされる始末だった。

そのうえ、ドン・ホアンは、レパント海戦当時と同じように、ヴェネツィア船にスペイン兵を乗せることを要求する。ヴェネツィア側は、断固として拒絶した。あの当時はヴェネツィア船の戦闘員が不足していて、ドン・ホアンの要求は道理にかなっていたから受けいれもしたが、今年は数も充分なので、その必要はないという理由だった。

だが、この年のドン・ホアンの要求は、道理から発したものではなく、総司令官の地位と権力の誇示という、感情的な問題から発している。これをヴェネツィア側から拒否された若い総司令官は、怒りを爆発させることしか知らず、間に立った感じのコロンナは困り果ててしまった。

コロンナは、自分の指揮する法王庁の船の戦闘員をヴェネツィア船に移し、法王庁の船にスペイン兵を乗せるという、妥協策を提案する。ヴェネツィアの総司令官は、これを受けいれたのである。

このような小細工は、前年にはなされなかったことであった。まず、「ミスター砦《とりで》」ヴェニエルが、ドン・ホアンが怒ろうがどうしようが、絶対に承知しなかったにちがいない。そして、ドン・ホアンの怒りとコロンナの困惑は、十二分に怒声を浴びせかけたヴェニエルが去った後の舞台に残った、おだやかでありながらも筋を通すことでは一歩もゆずらなかったバルバリーゴによって、いつのまにか、収まるべきところに収まっていたのであった。

だが、一五七二年の「レパント」には、この、無意識にしても絶妙な効果をもたらしていた、火と水のコンビはいなかったのである。深い配慮もなく、ただ単に眼と鼻の先しか見ない場合、一度ゆずれば、次々とゆずらされることになるものである。一五七二年のヴェネツィア艦隊は、一五七二年のヴェネツィア政府の、延長でしかなかったのかもしれない。

コロンナの妥協策によってかろうじて決裂だけはまぬがれたが、このようなことに時間を費やしている間に、十日という貴重な日数が無為に過ぎてしまっていた。

その後にようやく、連合艦隊はギリシアの海に出陣してみたが、敵将ウルグ・アリの巧妙で敏速な行動に振りまわされ、悪天候にも悩まされるという不運も手伝って、戦意はしぼむ一方となった。好機にも恵まれなかったこともあって、コルフにもどるというドン・ホアンの命令に、誰も反対しなくなっていた。その間、キリスト教徒とイスラム教徒は、互いに小船隊を向けては様子をうかがうという感じの、小ぜり合いのくり返しで終始しただけである。

コルフにもどった連合艦隊が解散したのは、十月の二十日であった。

ドン・ホアンは、スペイン船を引き連れてメッシーナに帰ってしまい、コロンナも、ローマへ発って行った。スペイン王フェリペ二世は、ローマの法王に親書を送り、次の年はもっと強力な艦隊を提供すると約束してきたが、ヴェネツィアはもはや信じなかった。

スペイン頼むに足らず、と思ったヴェネツィアは、トルコとの間に、単独講和を結ぶことを決意する。コンスタンティノープルに駐在するヴェネツィア大使バルバロは、「十人委員会」からの極秘の指令を受けとっていた。

コンスタンティノープル――一五七二年・冬

講和の交渉は、それこそ極秘裡《り》に進める必要があった。

ヴェネツィアとスペインと法王庁を主要加盟国として発足した神聖同盟では、その条文中に、加盟国は他の二国にはからずに敵と講和してはならない、という一項がある。

ヴェネツィア共和国は、いかに味方に絶望したとはいえ、条約違反を犯そうとしているのであった。

ヴェネツィア本国では、極秘にことを進める必要から、外交問題討議の公的機関とされている元老院の討議にはかけずに、秘密保持と敏速な決定を行なう機関として知られていた「十人委員会」が、この問題を担当することになった。

だが、通常の和平交渉でも容易にいかないものが、この場合は、同盟国への裏切り行為といってもよい〝附属品〟が加わる。極秘は必須《ひっす》の条件であったが、慎重も欠くわけにはいかなかった。ヴェネツィア政府は、この問題のためだけに、特別の「十人委員会」を結成したのである。

通常の十人委員会は、委員十人に元首の一人、それに六人の元首補佐官の十七人で構成されている。全員が、元老院に議席をもつ、三十歳以上の貴族だった。だが、担当する事柄《ことがら》が国家の行方を左右するほど重大と思われた場合は、この十七人に、「ゾンタ」と呼ばれる二十人ほどの貴族たちを加え、計三十七人を集めた特別の「十人委員会」が設置されるのが、ヴェネツィア共和国の法では認められていた。「ゾンタ」に選ばれる二十人は、外交、軍事の経験豊かとされた人々で、言ってみれば実質上の最高決定機関である「十人委員会」の委員に選出されても不適でないほどの人々である。

なにしろ、十人委員会の委員も元首補佐官たちも、ヴェネツィア共和国の法に従って、六ヵ月ごとに改選される仕組になっている（拙著『続海の都の物語』にくわしく述べた）。だが、重大問題をかかえている時期に、こうもしばしば顔ぶれが代わるのは、非能率的でもあり、政策の一貫性からしても具合が悪い。といって、権力が個人に集中することを避けるために考え出された、ヴェネツィア共和国政体の根本ともいえる交代制度だけに、変えるわけにはいかないのであった。

このようなヴェネツィア特有の事情が、「ゾンタ」という制度を生んだのである。六ヵ月が過ぎて十人委員会に所属する権利を失ったもと委員は、「ゾンタ」の一員になれば、つづけて委員会に出席することができる。また、その代わりとして委員に選出されるのは、「ゾンタ」のもと一員というわけである。

この仕組の活用によって、重大問題に際しても、ヴェネツィア政府の方針は一貫性を保つことができ、また、細部に通じた人々の間でのみ討議されるために、余計な時間の空費をまぬがれることもできたのであった。

一五七二年の「十人委員会」と「ゾンタ」は、トルコとの講和の交渉再開につき、交渉を直接に担当するコンスタンティノープル駐在のヴェネツィア大使に対し、次の条件で、トルコ側との話し合いに入るよう命じた。

その条件とは、キプロス島を領有することで以前からトルコに支払っていた、年貢《ねんぐ》金《きん》八千ドゥカートを、大幅に値上げするということで島の返還を求める、というものである。

この交渉に要する大使の機密費として、五万ドゥカートの支出も決議した。トルコの宮廷の重臣たちとの折衝には、賄賂《わいろ》が普通のことであったからだ。

また、「十人委員会」と「ゾンタ」は、和平の交渉にフランスを利用することも実行に移していた。以前から、スペインに敵愾心《てきがいしん》をいだくフランス王が、ヴェネツィアとスペインの引き離しに熱心だったからである。コンスタンティノープルでの交渉も、大使バルバロと宰相ソコーリの間で行なわれる秘密の談合と、ソコーリとフランス大使、フランス大使とバルバロの間という具合に、いくつもが並行して進んでいた。

しかし、レパントの海戦では敗《ま》けたが、ヴェネツィアのおかれている状況を熟知しているトルコとの交渉は、難航をきわめる。スペイン頼むに足らず、とわかったのは、ヴェネツィアだけではなかったからである。

レパントの敗戦でそりおとされた「ひげ」も、ウルグ・アリの献身のおかげでもとどおりになっている。トルコ側は強気だった。反対に、バルバロは瘦《や》せる想《おも》いだった。そのバルバロにとっての唯一《ゆいいつ》の希望は、表面ではいざしらず、内心ではやはりレパントの結果を忘れられないトルコもまた、和平関係再開を望んでいるということであった。

ペラ地区にあるヴェネツィア大使館の窓をふさいでいた板は、交渉再開とともに取りはずされていた。イエニチェリ兵の見張りも、姿を消していた。大使館の外観だけはともかく、交戦国の在外公館を思わせるものではなくなっていたのだ。

交渉が難航するのも当然だった。キプロスは事実上、トルコの手におちているのである。そのキプロスを、年貢金を値上げするから返還せよということを条件にした講和など、いったんにぎったトルコが承知するはずもなかった。

しかし、ヴェネツィアのほうも、簡単にキプロス放棄を条件にすることはできなかった。三十四年前のプレヴェザ戦当時の講和では、ペロポネソス半島のナウプリオンとマルヴァジアの二基地の放棄を条件にしたが、キプロスのもっていた軍事上、経済上の重要度は、この二つの基地とは比べようもない。といって、このままでは、講和交渉は進展しそうにもないのだった。

そのような重要な問題を、四十人足らずの「十人委員会」と「ゾンタ」だけで決めるのに不安を感じた委員から、この問題の元老院移行が提案される。元老院で決めるのならば、決める権利を有する者の数は、二百になるからであった。

だが、表決の結果は、それに賛成した者は二人だけだった。ヴェネツィアは、この問題を極秘裡に解決する重要性のほうを、選んだのである。

十一月十九日、交渉はいっこうに進展しない。ついに「十人委員会」と「ゾンタ」は、この日付けで、キプロスの返還は考えなくてもよいという指令を、コンスタンティノープルの大使に送った。それでも、これを決める前にもう一度、元老院移行を問う表決がされていたのである。だが、このときも、賛成は三票を得ただけだった。大使バルバロは、この線で、再度困難な交渉に挑戦《ちょうせん》する。ボスフォロス海峡をわたってくる黒海からの風が、ひときわ厳しさを増す冬を、老大使は耐えつづけた。トルコの宮廷では、対西欧強硬派が、レパントでの敗戦にもかかわらず、一日ごとに発言力を増していた。

ヴェネツィア――一五七三年・春

一五七三年と年の替わった三月七日、ようやく、交渉は妥結し調印が終った。

だが、その内容は、これが勝者の得たものかと唖然《あぜん》とするほど、ヴェネツィアにとっては厳しいものであった。

キプロスは、公式にトルコ領となった。年貢金《ねんぐきん》を支払う必要もなくなったのである。しかも、ヴェネツィアは、三十万ドゥカートもの多額の金を、通商料という名目で、向う三年の間にトルコに支払うことになった。

ザンテの島の年貢金も、これまでの五百ドゥカートから一千ドゥカートに値上げされる。

ヴェネツィアは、その代わり、没収されていたトルコ領内のヴェネツィア人の財産の返還と、全トルコ領内での経済活動の完全な自由を保証されることになった。

そして、結果的には、一六四五年までの七十二年間におよぶ、平和を獲得したのである。一五七三年にヴェネツィアが譲歩したこれらすべてと、レパントの海に流された血は、少なくとも以後の七十二年間の平和と、それによる経済の繁栄を、ヴェネツィア市民にもたらしたのであった。

ヴェネツィア、トルコ間の講和は、調印後にはじめて公表された。ヴェネツィアの元老院でさえ、知らされたのは公表の前日である。

前年の十月に連合艦隊が解散した後も、ヴェネツィアの国営造船所では毎日のように軍船が進水し、乗組員の募集まで行なわれていたから、公表されるまで、他国はもとよりヴェネツィア市民までも、ヴェネツィアの意図は戦争続行にある、と信じて疑わなかったのである。

公表とともに、西欧各国からは、ごうごうたる非難が巻きおこった。ヴェネツィアの行なった単独講和は、キリスト教徒への裏切り行為だというのであった。だが、ヴェネツィアなしでも対トルコの連合艦隊を編成しようと主張する国も、一国もなかったのである。

それでも、ヴェネツィアは、トルコとの間に単独講和を結ぶことによって、西欧での勢力争いに下手に巻きこまれることだけは避けることができた。

アルジェを中心とする北アフリカに眼《め》をつけていたフランスは、同じくその地方を狙《ねら》うスペインと、この面でも対立していた。それで、トルコと共同して、地中海でもスペインをはさみ打ちにする策を考えていたのだ。

この案によれば、フランス陸軍がフランドルに侵入すると同時に、トルコは、三百のガレー船からなる大艦隊を地中海に送り、スペイン領を攻撃してまわるというのが、当時コンスタンティノープルで進行中であった、フランス大使とトルコ宮廷の間で討議中の作戦だった。

このためにも、スペインとヴェネツィアを離反させるのが得策である。そして、ヴェネツィアとトルコの同盟関係でも成立すれば、地中海でのスペインの孤立は完成するのだった。

しかし、ヴェネツィアには、フランスの策略に乗って、スペインまでを完全に敵にまわしてしまうことは許されなかった。それよりも、単独の講和のほうを選んだのである。これならば、スペイン、フランスという、十六世紀西欧の二大強国を、味方にもしないが、かといって敵にもしなくてすむからであった。

講和締結後のヴェネツィアは、通商網の、とくに東地中海域でのそれの、再整備に集中する。ただ、海軍力だけは、その維持を怠らなかった。これまで怠っては、都市型の国家ヴェネツィアは、まわりを囲む領土型の国家群から押しつぶされてしまうにちがいない。ヴェネツィア海軍の栄光を思い出させる十月七日が国の祭日に指定された理由は、勝利の喜びを記念するためだけではなかったのである。

地中海からは遠いイギリス人まで熱狂させたといわれるレパントの海戦は、ガレー船同士で闘われた最大で最後の海戦となったが、十字架を先頭にして闘われた最後の戦闘にもなった。これ以後、西欧では誰《だれ》も、十字軍を唱えなくなる。西ヨーロッパのほうが世界の中心になり、反対に地中海世界は歴史の主人公の座を降りたからでもあった。歴史を分ける海戦の舞台も、地中海から離れ、大西洋に移る。ガレー船に代わって、帆船の時代への移行でもあった。

一六四五年からの二十五年間、ヴェネツィアはトルコとの間に、クレタ島の攻防をめぐって壮烈な戦争をくり広げることになる。しかし、このクレタ攻防戦は、レパントの海戦のように、歴史上の一大事件とはならなかった。辺境になってしまった地中海で闘われたからである。いかに長期にわたっても、いかに壮烈に闘われても、それはもう、局地戦の一つでしかなかった。

一千年の歴史を誇るヴェネツィア共和国も、一四五三年のビザンチン帝国の滅亡によって歴史の主人公に踊り出たトルコ帝国も、レパントの海戦を機に、衰亡の一途をたどることになる。両国の力が衰えただけが、原因ではない。両国の活躍の場であった地中海の重要度が、十六世紀を境にして減少したからである。これ以後の重要な海戦が地中海以外の海で行なわれるようになったということが、このことのなによりもの証明であろうと思う。

レパントの海戦の戦果は、勝利の翌年にすでに、惨《みじ》めな解散によって消滅してしまった。

しかし、この海戦で流された多くの血が、無駄《むだ》であったわけではまったくない。もしもあのとき、トルコが勝っていたならば、無敵トルコの名声は決定的になり、地中海はトルコの内海と化していたであろう。西欧も、トルコの攻勢が、ウィーンどまりであるなどとは安心していられなかったにちがいない。

レパントの海戦の影響は、実質的なものよりも、より精神的な面に求められるべきものであった。精神面の影響がいかに重要であるかを、歴史は幾度となく、われわれに教えてくれるのである。

ヴェネツィアは、ともかく、七十年の平和を享受《きょうじゅ》できることになった。その結果は、西欧第一の富裕と華麗の競演となる。外国からの賓客を迎えてくり広げられる、聖《サン》マルコ広場での祝祭行列では、総額一千万ドゥカートと見つもられた美術工芸品が、終りがないかと思われるくらいに次々とくり出されるのであった。

他国からの人々は、あらためてヴェネツィアの富に眼を見張る。その中には、一五八五年、レパントの海戦から十四年後にヴェネツィアを訪れた、日本からの天正《てんしょう》少年使節の一行もあった。

レパントの戦士たち――その後

一五七二年五月、その年の連合艦隊の闘わずしての解散も知らず、レパントの勝利だけを心に死ぬことのできた法王ピオ五世は、その後まもなく聖人に列せられた。聖《サン》ピオである。

十字軍提唱とその成功が理由だが、十三世紀に幾度となく十字軍を起し、そのたびに失敗していたフランス王ルイも聖《サン》ルイになったくらいだから、対異教徒の戦いと聖者の名誉が結びつくのも、西欧では不可思議なことではないのである。

ドン・ホアンのその後は、幸運に恵まれたものではまったくなかった。フェリペ二世との間は悪化の一方だったらしく、一五七八年、三十三歳の若さで死ぬまで、目立つ行動はなにひとつしない生をおくる。独身のままで死んだ。

マーカントニオ・コロンナも、レパント以後は歴史から消えてしまう。一五七七年にシチリアの総督をつとめた後、一五八四年、四十九歳の年にスペインで客死した。

ジャンアンドレア・ドーリアは、賞讃《しょうさん》されるよりも非難されることの多い海の傭兵《ようへい》隊長をその後もつづけ、一六〇六年に六十七歳で死んだ。地中海が歴史の主要舞台でなくなったこともあって、彼の後を継いだ者には名を高めた者はいない。


不本意な解任を受けたセバスティアーノ・ヴェニエルは、それへのつぐないというわけでもないだろうが、レパントの海戦の六年後に、ヴェネツィア共和国元首に選出される。トルコとは問題の少ない時期の元首であったから、持ち前のかんしゃくを破裂させる機会にも、さして恵まれなかったであろう。

レパントの海戦の四百年祭を記念して、イタリア海軍は、フォルモーザ広場に面するつつましい彼の家の壁面に、海戦の勝利者の家と記した大理石の碑を張りつけた。


コンスタンティノープル駐在ヴェネツィア大使であったマーカントニオ・バルバロは、トルコとの講和締結後に帰任を許され、五年ぶりに祖国に帰還した。

彼もまた、帰任後の大使にとって恒例となっている元老院での報告演説を行なったが、その内容は、政府の方針を痛烈に非難攻撃したもので、並いる政府首脳や元老院議員たちが、顔色を変えたほどのものだった。

老大使は、その中でこう言っている。

「国家の安定と永続は、軍事力によるものばかりではない。他国がわれわれをどう思っているかの評価と、他国に対する毅然《きぜん》とした態度によることが多いものである。

ここ数年、トルコ人は、われわれヴェネツィアが、結局は妥協に逃げるということを察知していた。それは、われわれの彼らへの態度が、礼をつくすという外交上の必要以上に、卑屈であったからである。ヴェネツィアは、トルコの弱点を指摘することをひかえ、ヴェネツィアの有利を明示することを怠った。

結果として、トルコ人本来の傲慢《ごうまん》と尊大と横柄《おうへい》にとどめをかけることができなくなり、彼らを、不合理な情熱に駆ることになってしまったのである。被征服民であり、下級の役人でしかないギリシア人にもたせてよこした一片の通知だけでキプロスを獲得できると思わせた一事にいたっては、ヴェネツィア外交の恥を示すものでしかない」

こうまで言われてもヴェネツィア政府は、バルバロの功績に報いることは忘れなかったようである。まもなく彼は、元首に次ぐ名誉ある地位、聖《サン》マルコ寺院の監督官に任ぜられた。

特命全権大使には、帰任後の元老院での報告の義務はない。バルバロの同僚で、ローマで苦労したジョヴァンニ・ソランツォは、前に述べたように、その後海に送られ、一五七二年のヴェネツィア艦隊では、バルバリーゴの後任として参謀長をつとめる。そして、その四年後、警備艦隊をひきいて地中海を航行中、マルタの聖ヨハネ騎士団の艦隊と交戦する羽目になり、その戦いの最中に戦死した。騎士団はヴェネツィアがトルコと講和を結んだことを怒り、ヴェネツィア船とみれば、異教徒トルコと同類として戦いをしかけていたからである。

ウルグ・アリは、七十五歳まで長生きして、一五九五年にコンスタンティノープルで死んだ。寝床の上での死だった。

この人物に関する女のからんだ一エピソードは、かつて『愛の年代記』中に、「エメラルド色の海」と題して書いたことがある。

レパントの海戦当時も噂《うわさ》された、スペイン王フェリペ二世によるウルグ・アリ懐柔の策謀は、その後にほんとうに試されたようである。だが、南イタリア出身のこのもとキリスト教徒の海賊は、海軍の最高司令官にしてまで自分を認めてくれたトルコ人を、死ぬまで裏切らなかった。コンスタンティノープルに私財を投じて美しいモスクを建立《こんりゅう》し、それに多くの財宝も寄贈し、イスラム教徒としておだやかな死を迎える。生きているかぎりヴェネツィア海軍を眠らせなかったといわれるウルグ・アリも、去ったのであった。

ヴェネツィア——一五七一年・冬

レパントの海戦で倒れたヴェネツィアの戦士たちの遺族は、喪服を着けることを、共和国政府から禁じられていた。

祝事でこそあれ、喪に服するような弔事ではないというのである。祝いの旗は街のあちこちにひるがえっていたが、弔旗は、どこにもみられなかった。

アゴスティーノ・バルバリーゴの屋敷を訪れる、元首をはじめとする共和国の高官たちも、弔問客ではなく、戦勝の祝いをのべる客だったのである。しっかりとした態度で応対する未亡人も、喪服姿ではなかった。

そのためか、街中でもバルバリーゴの屋敷でも、人の死を悲しむ雰囲気《ふんいき》よりも、勝利を祝う喜びのほうが支配していた。

しかし、そのヴェネツィアに、喪服は着けていなくても、もともと喪に服す立場にもなかったのだが、それでもなお、喪に心も身体《からだ》も閉ざしてしまっていた、一人の女がいた。

女は、バルバリーゴ家の墓所のある教会には、足を向けなかった。あそこに葬《ほうむ》られているのは、男の髪の一つまみでしかないことは知っていたが、それが理由ではない。墓に参ることは、あの人の死を、他のすべての死と同じにしてしまいそうで、そうであってほしくないと思う女の気持が、墓の前に立つことをためらわせたからである。ヴェネツィアの街中をどよめかせた戦勝を祝う数々の行事も、女には無縁な騒ぎにしか思えなかった。勝利は喜ばしいことであることはわかっていたが、それを祝う気分にはどうしてもなれなかったのだ。

事情を察していた老女の召使には、レパントの海戦の勝利とともに知った愛する人の死に、ただ茫然《ぼうぜん》とするだけで泣くこともできない女主人を、そっとしておく心遣いはできたが、それ以上のことはできない。女も、誰にも打ち明けられない哀《かな》しみを、胸のうちにしまっておくしかないのだった。

女の許《もと》には、少しだったが、男の遺品が残されていた。形見として、残していったものではない。男が借りていたあの小さな家で、二人で使った品々だった。繊細な模様とつくりのヴェネツィアのグラスがいくつかと、葡萄《ぶどう》酒《しゅ》を入れていたガラスの器《うつわ》が一つと、たなびく雲のようなレースつきのシーツやテーブル掛けやナプキンや、そんなこまごました小さな品だった。女は、それらを、死を知った次の日にあの家に行き、もって帰って来ていたのだ。もう二度と、男の名で借りたあの家へは行けない身だった。

これらの品のほかに、遺品はもう一つあった。ある寒い夜、女を家までおくってきた男が、自分が着ていたのを女をつつむのに貸してくれて、そのままになっていたマントだった。毛織りの黒地の裏に、毛皮の裏打ちのついている、ヴェネツィアではごく普通の男物の外套《がいとう》だった。これらの品に囲まれているだけで、女には、男の愛に囲まれていたときのような、安らぎがもどってくるのだった。

哀しみは深かったが、女は孤独ではなかった。一度心から男に愛された女は、もう二度と孤独に苦しむことはないのである。ただ、いつも手探りしてはなにかを求める想《おも》いからは、どうしても脱《ぬ》け出すことはできなかった。だが、それでよいのだ。そういう想いがあるうちは、それにひたっていればよいのだと、女は思って無理をしなかった。

バルバリーゴ家の墓所のある教会には行かなかった女も、聖《サン》ザッカリーア教会に、午後の、人のいなくなった頃《ころ》に息子とともに訪れる習慣はやめなかった。女はそこで、男のために祈った。

ただ、安らかに眠られよとは祈らなかった。男は、勝利を知った後で息をひきとったのである。満足な想いで迎えた死であったことを、女は疑わなかった。

そんなある日の午後、いつものように聖《サン》ザッカリーア教会での祈りを終えて出てきた女は、広場の中ほどにあるヴェネツィア独得の貯水槽《そう》のかたわらまできて、ふと足をとめた。おだやかに降りそそぐ冬の午後の陽光が、思わず女に足をとめさせたのだ。フローラは、眼を閉じた顔を、陽光を受けるように少し上に向けた姿のままで、立ちつくしていた。

そのとき、背に、優しくまわされた手を感じた。息子がそばにいた。

「母上、あの方は、勝った戦いの指揮官として亡《な》くなられたのです」

女は、驚いた様子で息子を見た。幼ないとばかり思いこんでいた息子が、母の心のうちを知っていたことに驚いたのではない。背に優しくまわされたままの息子の手の位置が、しばらくの間にこうも高くなっていることに驚いたのである。背丈が、ここ一、二年で、大幅に伸びたからにちがいなかった。腕の位置が上になっただけでなく、声音も、少し低めになり落ちついたものに変っていた。

母親は、思わず微笑した。子供だと思っていたのに、母を慰めるまでに成長していたのだという発見が、うれしいよりもおかしかったからだ。ほんとうに、この年頃は見るまに大きくなってしまう、と思った。かつては小犬のように母親にまつわりついていた少年も、まもなく十三歳を迎えようとしていた。

あと二、三年、とフローラは思った。二、三年すれば、商船の石弓兵として実地に航海術と商業技術を学ぶか、それとも、パドヴァの大学で法学か医学を学ぶかを、決めなくてはならなくなるだろう。そして、七年たって二十歳を迎えれば、ヴェネツィア貴族の嫡男子《ちゃくだんし》として、共和国国会の議席を得ることになる。七年間、長く見つもっても十年間、この子は母親を必要としつづけるだろう。

「母上、いつの日かコルフ島に行きましょう」

母親は、黙ってうなずいた。うなずきながら見やった息子の顔は、母のそれよりも、ほんの少しだが上にあった。背丈が母親を追い越したのだ。もしかしたら、わたしのほうこそ息子を必要としているのかもしれない、と、フローラは思った。女の両眼には、あのとき以来はじめての涙があふれ、頬《ほお》を流れおちた。息子は、母親の背に左手をまわしたまま、母と子は、聖《サン》ザッカリーアの広場を後にした。

広場を出たところにいつもいる、近郊から花をもってきて街で売る女から、フローラは、根に土をつけたままの小ぶりの花を買った。手入れさえ忘れなければ、春には鉢《はち》を替えてやらなければならないほどに増え、たくさんの花を咲かせることになるだろう、と。

女の息子が海に出る仕事を選んだとしても、その存命中には、トルコの半月刀におびやかされることだけはなかったにちがいない。アゴスティーノ・バルバリーゴは、愛する女《ひと》の息子に、贈物を遺《のこ》して死んだのであった。

読者へ
——あとがきにかえて——

ホメロスの『イーリアス』をはじめて読んだのは、私が十六歳の夏でした。眼《め》の前が、一変したのを感じました。ただ、それは漠《ばく》としたもので、自分の中でなにがどう変ったのかまではっきりしなかったのです。もしかしたら、今までの物書き業は、それをはっきりさせるためで、これからも死ぬまで、そんな想《おも》いをひきずって行くのかもしれません。

こんなわけで、私が地中海世界に魅了されたのは『イーリアス』によってなのですから、戦争を描きたいという想いは、常にもちつづけてきたのです。それも、『イーリアス』に描かれていたように、異なる文明の対決という意味での戦争を。

この種の戦争で、舞台が地中海世界で、時代は私の守備範囲であるルネサンスとなると、三つしかありません。

一四五三年のコンスタンティノープルの陥落と、一五二二年のロードス島をめぐる攻防と、そして、一五七一年のレパントの海戦と。

もちろん、あの時代に生きた人々にとっては不幸なことに、戦いはこの三つだけではありませんでした。でも、歴史的な、となれば、つまり、なにかがそれを機に変った、となれば、この三つの戦闘をあげてよいのではないかと思うのです。

かといって、十六歳の夏から、この三つの戦闘を書こうなどと決めていたのではありません。また、それから十余年が過ぎて処女作『ルネサンスの女たち』を書いた頃《ころ》も、私の頭にはありませんでした。頭の中に芽生えはじめたのは、やはり、二十五年ほどが過ぎ、ヴェネツィア共和国の通史『海の都の物語』を準備中の時期からであったと思います。

『コンスタンティノープルの陥落』も『レパントの海戦』も、直接ヴェネツィア共和国がかかわります。『ロードス島攻防記』だって、ヴェネツィア側の史料がなければ書けません。つまり、この三つの「天下分け目の戦い」は、ヴェネツィアに今に残る詳細で客観的な史料を勉強しているうちに、私の頭の中に形をなしてきて、それがうまい具合に、十六歳の夏以来暖めつづけてきた、地中海を舞台にした戦争を書きたいという想いと合致したと言えましょう。この地中海の戦記物三部作が、『海の都の物語』を書き終ってから書かれた事情はそこにあるのです。

それにしても、ホメロスの『イーリアス』は、なにかあれから盗めないかと思って何度も読んだのですが、人間を描くことを第一のテーマとしていること以外に、盗むものはあまりありませんでした。

なぜかというと、あれは、神々の応援団という愉《たの》しい話が重要な部分を占めているのです。ギリシア軍を応援していたのはアテネ女神をはじめとする神々で、トロイア側の応援団長はポセイドンという具合で、これは実に愉しい話なのですが、ルネサンス時代ではいかんとも無理、あきらめるしかありませんでした。

第二の、まねしたかったけれどできなかったことは、十年つづいた戦争を十年目から書きはじめるという、『イーリアス』におけるホメロスのやり方でした。これは、思うにつけ、いかに彼が天才であったかと痛感したことですが、やはりまねできなかった。

なにしろ、東ローマ帝国の首都コンスタンティノープルをめぐる攻防戦は、五十日余り、ロードス島をめぐる攻防は六ヵ月、そして、レパントの海での戦いは、五時間足らずで決着がついてしまった。これらの戦闘を描くのに、いかに感心したとはいえ、ホメロスのやり方は使えませんでした。十年間つづいた戦争だから、十年目から描くことが生きてくるのですから。

結局、この三つの戦闘はそれぞれ、これを描くにはこのやり方が適している、と私が思った手法で描くしかなかったのです。五十日には五十日にふさわしく、六ヵ月は六ヵ月なりに、そして、五時間は、その五時間に向ってクレッシェンドし（しだいに強くなり）、五時間の終った後はデクレッシェンドしていく（しだいに弱くなる）というふうに。

三部作の一作ずつにしても、また全三作一緒にしても、参考文献表は載せないことにしました。主要参考文献ならば、『続海の都の物語』の巻末で紹介ずみだからです。これもまた、この戦記物三部作が、ヴェネツィア共和国史を書いた後でなければ書けなかったという事情を、反映してくれることでしょう。正確で客観的な記録を残すことほど、後世に対する効果的な宣伝はないのではないかと、ヴェネツィアに残る史料を読みながら思うこの頃です。

フィレンツェ、一九八七年春

解説

――崇高で哀《かな》しい戦いの物語

高《こう》坂《さか》正《まさ》堯《たか》

海洋国家の衰退期は勇敢な戦いと歴史的意義を持つ勝利によって飾られるものなのかも知れない。一九四〇年夏、一国だけでナチス・ドイツに立ち向い、屈伏しなかった「イギリスの戦い」は、ドイツ国防軍の無敵のイメージに疑いを投げかけさせた点で、歴史的戦闘と言うことができる。それに優《まさ》るとも劣らない程度に、一五七一年のレパントの海戦は歴史的戦闘であった。戦史と戦略論に関する二十世紀の権威の一人J・E・C・フラーは、アレキサンダー大王からフレデリック大王に至る二千年間の重要な戦いを扱った『決定的戦闘』のなかに、グレナダ攻略と合わせてレパントの海戦を、大西洋時代の始めを画するものとしておさめた。そして、後者は一四五三年のコンスタンティノープルの陥落以後続いて来た無敵のトルコという神話を打ち破ったことにおいて、「その精神的重要性は圧倒的」なものであったとした。「トルコが自らの不敗に疑いをいだいたことが地中海の支配の喪失を生み、それが次の世紀には陸上の支配の動揺をもたらした」。

しかし、レパントの海戦は、これまたイギリスの戦いと同様、海洋国家が戦い、勝利をおさめた敵手の没落の始まりにはなったが、海洋国家ヴェネツィアの国運の下降を逆転させるところまではいかなかった。むしろ、その戦闘における人材の多大の損失がヴェネツィアにまだ残っていた活力をほとんど消耗させたと言えるであろう。にわかに動揺し始めたトルコと、緩やかに下降線を辿《たど》ったヴェネツィアに代って、「領土型」のヨーロッパ近代国家が間もなく歴史の主導権をとるようになった。

その崇高だが哀しい戦いの物語を塩野七生さんが一冊の本として著した。私はそれを読んではじめて、塩野さんが『コンスタンティノープルの陥落』『ロードス島攻防記』と今回の『レパントの海戦』を三部作として構想した理由が判《わか》るような気がした。それは彼女の主著『海の都の物語』の絶好の続編なのである。『海の都の物語』は興隆期のヴェネツィアの物語で、ヴェネツィアの歴史が全体として扱われている。その興隆の後に訪れたヴェネツィアの衰退期を戦史として書くというアイディアはまことにすばらしい。

もっとも塩野さん自身はそのことは認めないかも知れない。「あとがきにかえて」

によると、ホメロスの『イーリアス』を読んで以来戦史を書きたかったことと、ヴェネツィアに秀《すぐ》れた史料が残っていることから、『海の都の物語』を準備中に三部作の構想が芽生えはじめたのだと言う。それはその通りであろう。しかし、立派な物書きというものは、秀れた感覚を持っている。その力は理屈よりも強く、正確でさえある。私には思い浮かばない考えだが、そしてまた塩野さんも理屈では考えていないかも知れないが、こうして書かれてみると、ヴェネツィアの衰退期は戦史を通じて描くのが適切であるということが判る。というのは、興隆期のヴェネツィアは見事な戦争をしてはいない。戦う必要が少なかったし、また巧みな外交によって戦うのを避け、東地中海と西地中海の介入者として活躍したところに成功の秘密がある。しかし、成功し、大きく、豊かになれば、他人に注目され、抗争に巻きこまれる。そこにトルコの出現という変化がおこったとき、ヴェネツィアは通商を維持するために戦わざるをえなくなったのである。だが、その相手は人口や領土において比較にならぬ強大な相手だった。ヴェネツィアは所詮《しょせん》は無理な戦いを強《し》いられたのである。しかし、無理なことをどの程度まで見事におこなうかによって、文明の偉大さは決るのかも知れない。だから、レパントの海戦はヴェネツィアの最後を飾る物語なのである。

つまり、この三部作はヴェネツィアが逆境に立つようになったときから、それに抵抗して歴史的役割を果し終えるまでの期間を扱っている。第一作では、年老いた文明が、野蛮《やばん》だが若く、活力に満ちた努力によって打倒される物語であり、それはヴェネツィアにとって最良の日の終りが始まったことを意味するものであった。第二作では、東のトルコに対応して西のヨーロッパでも中央集権化された大国が出現することによって「滅びゆく階級」たることを運命づけられたヨーロッパの騎士たちが、何十倍というトルコ軍の来襲に対してロードス島を守り抜こうとした絶望的な戦いが描かれる。しかし、彼らは英雄的な戦闘の後開城しなくてはならなかった。このころ、トルコは最盛期にあった、と言えよう。

そして今回の第三作は終りのなかでの「最良の日」を描いたものである。私がこうした修辞を用いるのは、塩野さんの戦史三部作がそうした雰囲気《ふんいき》を見事に描き出しているからである。構想に加えて叙述の面で、私はその点を評価する。もっとも、雰囲気が出ているといったあいまいな言葉で評価することに対して、「塩野ファン」からも、伝統的戦史派からも、文句が出るかも知れない。しかし、文明にとっての戦争の意味は、なによりもその雰囲気が物語ってくれるのである。作戦指導の技術的なことは知らなくても、日露戦争と太平洋戦争のちがいが、その将兵と戦い方の雰囲気によって十分判るのはその証明である。

それに、戦争の勝敗を分けたものも、技術的なことで真実に判るのかは疑問なのである。レパントの海戦について言えば通説は、多くの大砲を装備したガレアッツァを前面に配置し、砲撃によってトルコ艦隊の陣形を乱した連合艦隊総司令官ドン・ホアンの戦略を決定的な勝因としている。それは確かに重要な要因ではあっただろう。しかし、陸上の白兵戦に近かった当時の海戦において、士気、技量共に充実していたヴェネツィアの戦士たちの個々の奮闘の方がより重要であったという見方も成立する。戦いは混乱した状況であり、秀れた指揮官ナポレオンの戦略、戦術ではなく、祖国を守るロシア兵の情熱と粘りが勝ったというトルストイの『戦争と平和』と、同様の戦争観である。トルストイなら、ドン・ホアンの戦略を決定的とはしないことに賛意を表すであろう。

雑多な構成の艦隊がまとまったことについても解釈はいくつもありうる。ドン・ホアンの力量を評価することもできるし、ヴェネツィアの参謀長バルバリーゴの手腕を強調することもできる。しかし、勝利をおさめた同盟軍の総司令官は大体のところ過大評価されるものだし、そして、ドン・ホアンのその後を考えるなら、彼の政治的・外交的手腕を余り高くは評価できないのではないだろうか。

とは言え、塩野さんはやはりヴェネツィアびいきである。私はそのことをほほえましく思うし、そこには美点も含まれると思う。塩野さんは当時のヴェネツィアの史料と絵画から得られる印象に依拠し、そこから物語を構成している。後世の人々がいろいろ書いたものを加味して書くよりも、その方が純粋でもあり、読者のイマジネーションをそそるのである。私のこの批評もそうで、それが塩野さんの意図と異なったとしても、それはむしろこの書の価値を証明するものだと、思う。

だから、最後に私がもっとも感銘を受けた理由を書くことにしよう。この書物は戦史であって戦史ではない。秀れた戦史はすべてそうなのである。戦争の前と中間とあとの外交が実に見事に扱われている。「レパントの海戦は、まずはじめに、血を流さない戦争、があり、次いで、血を流す政治、とつづき、最後に再び、血を流さない戦争、になって終った」。そのなかの血を流さない戦争、すなわち外交を担当した駐コンスタンティノープル大使バルバロの元老院での報告演説は感動的である。

「国家の安定と永続は、軍事力によるものばかりではない。他国がわれわれをどう思っているかの評価と、他国に対する毅然《きぜん》とした態度によることが多いものである。ここ数年、トルコ人は、われわれヴェネツィアが、結局は妥協に逃げるということを察知していた。それは、われわれの彼らへの態度が、礼をつくすという外交上の必要以上に、卑屈であったからである。ヴェネツィアは、トルコの弱点を指摘することをひかえ、ヴェネツィアの有利を明示することを怠った。

結果として、トルコ人本来の傲慢《ごうまん》と尊大と横柄《おうへい》にとどめをかけることができなくなり、彼らを、不合理な情熱に駆ることになってしまったのである。被征服民であり、下級の役人でしかないギリシア人にもたせてよこした一片の通知だけでキプロスを獲得できると思わせた一事にいたっては、ヴェネツィア外交の恥を示すものでしかない」。

やはり、ヴェネツィアは衰退期に入っていたのだった。無益で無謀な強がりはもちろん避けなくてはならないが、しかし毅然とした態度も必要不可欠である。その微妙なバランスがヴェネツィアの外交から失われ、ヴェネツィアは妥協に逃げるようになっていたのだった。先に述べたように、ヴェネツィアは無理な戦争を強いられたと大体は言えるのだが、しかし、それは最高の技術をもってすれば避けられたかも知れないのである。もちろん、最高の技術といったものはまれにしか発揮しえないものだし、それとても犠牲を減らし、寿命を伸ばすにすぎない。しかし、文明とはそうしたものなのである。こうして、バルバロ大使の言葉は文明国としての地位を維持することの困難を後世に語りかけるものとして、ひとつの文明、ひとつの時代をこえた重みを持っている。


（「波」一九八七年五月号に掲載、京都大学教授）

この作品は昭和六十二年五月新潮社より刊行された。

塩野七生著 **愛の年代記**

欲望、権謀のうず巻くイタリアの中世末期からルネサンスにかけて、激しく美しく恋に身をこがした女たちの華麗なる愛の物語9編。

塩野七生著 **チェーザレ・ボルジア あるいは優雅なる冷酷**
毎日出版文化賞受賞

ルネサンス期、初めてイタリア統一の野望をいだいた一人の若者――〈毒を盛る男〉としてその名を歴史に残した男の栄光と悲劇。

塩野七生著 **コンスタンティノープルの陥落**

一千年余りもの間独自の文化を誇った古都も、トルコ軍の攻撃の前についに最期の時を迎えた――。甘美でスリリングな歴史絵巻。

塩野七生著 **ロードス島攻防記**

一五二二年、トルコ帝国は遂に「喉元のトゲ」ロードス島の攻略を開始した。島を守る騎士団との壮烈な攻防戦を描く歴史絵巻第二弾。

塩野七生著 **マキアヴェッリ語録**

浅薄な倫理や道徳を排し、現実の社会のみを直視した中世イタリアの思想家・マキアヴェッリ。その真髄を一冊にまとめた箴言集。

塩野七生著 **サイレント・マイノリティ**

「声なき少数派」の代表として、皮相で浅薄な価値観に捉われることなく、「多数派」の安直な〝正義〟を排し、その真髄と美学を綴る。

塩野七生著

イタリア遺聞

生身の人間が作り出した地中海世界の歴史。そこにまつわるエピソードを、著者一流のエスプリを交えて読み解いた好エッセイ。

塩野七生著

イタリアからの手紙

ここ、イタリアの風光は飽くまで美しく、その歴史はとりわけ奥深く、人間は複雑微妙だ。――人生の豊かな味わいに誘う24のエセー。

塩野七生著

人びとのかたち

銀幕は人生の奥深さを多様に映し出す万華鏡。数多の現実、事実と真実を映画に教えられた。だから語ろう、私の愛する映画たちのことを。

塩野七生著

サロメの乳母の話

オデュッセウス、サロメ、キリスト、ネロ、カリグラ、ダンテの裏の顔は？「ローマ人の物語」の作者が想像力豊かに描く傑作短編集。

塩野七生著

ルネサンスとは何であったのか

イタリア・ルネサンスは、美術のみならず、人間に関わる全ての変革を目指した。その本質を知り尽くした著者による最高の入門書。

塩野七生著

ローマ人の物語 1・2

ローマは一日にして成らず（上・下）

なぜかくも壮大な帝国をローマ人だけが築くことができたのか。一千年にわたる古代ローマ興亡の物語、ついに文庫刊行開始！

塩野七生著

ローマ人の物語 3・4・5
ハンニバル戦記 （上・中・下）

ローマとカルタゴが地中海の覇権を賭けて争ったポエニ戦役を、ハンニバルとスキピオという稀代の名将二人の対決を中心に描く。

塩野七生著

ローマ人の物語 6・7
勝者の混迷 （上・下）

ローマは地中海の覇者となるも、「内なる敵」を抱え混迷していた。秩序を再建すべく、全力を賭して改革断行に挑んだ男たちの苦闘。

塩野七生著

ローマ人の物語 8・9・10
ユリウス・カエサル
ルビコン以前 （上・中・下）

「ローマが生んだ唯一の創造的天才」は、大改革を断行し壮大なる世界帝国の礎を築く。その生い立ちから、〝ルビコンを渡る〟まで。

塩野七生著

ローマ人の物語 11・12・13
ユリウス・カエサル
ルビコン以後 （上・中・下）

ルビコンを渡ったカエサルは、わずか五年であらゆる改革を断行。帝国の礎を築き、強大な権力を手にした直後、暗殺の刃に倒れた。

塩野七生著

ローマ人の物語 14・15・16
パクス・ロマーナ （上・中・下）

「共和政」を廃止せずに帝政を築き上げる――それは初代皇帝アウグストゥスの「戦い」であった。いよいよローマは帝政期に。

塩野七生著

ローマ人の物語 17・18・19・20
悪名高き皇帝たち （一・二・三・四）

アウグストゥスの後に続いた四皇帝は、同時代の人々から「悪帝」と断罪される。その一人はネロ。後に暴君の代名詞となったが……。

塩野七生著
ローマ人の物語21・22・23
危機と克服
（上・中・下）
一年に三人もの皇帝が次々と倒れ、帝国内の異民族が反乱を起こす――帝政では初の危機、だがそれがローマの底力をも明らかにする。

塩野七生著
ローマ人の物語24・25・26
賢帝の世紀
（上・中・下）
彼らはなぜ「賢帝」たりえたのか――紀元二世紀、ローマに「黄金の世紀」と呼ばれる絶頂期をもたらした、三皇帝の実像に迫る。

塩野七生著
ローマ人の物語27・28
すべての道はローマに通ず
（上・下）
街道、橋、水道――ローマ一千年の繁栄を支えた陰の主役、インフラにスポットをあてる。豊富なカラー図版で古代ローマが蘇る！

塩野七生著
ローマ人の物語29・30・31
終わりの始まり
（上・中・下）
空前絶後の帝国の繁栄に翳りが生じたのは、賢帝中の賢帝として名高い哲人皇帝の時代だった――新たな「衰亡史」がここから始まる。

塩野七生著
ローマ人の物語32・33・34
迷走する帝国
（上・中・下）
皇帝が敵国に捕囚されるという前代未聞の不祥事がローマを襲う――。紀元三世紀、ローマ帝国は「危機の世紀」を迎えた。

須賀敦子著
地図のない道
私をヴェネツィアに誘ったのは、一冊の本だった。イタリアを愛し、本に愛された著者が、水の都に刻まれた記憶を辿る最後の作品集。

城山三郎著

硫黄島に死す

〈硫黄島玉砕〉の四日後、ロサンゼルス・オリンピック馬術優勝の西中佐はなお戦い続けていた。文藝春秋読者賞受賞の表題作など7編。

城山三郎著

落日燃ゆ

毎日出版文化賞・吉川英治文学賞受賞

戦争防止に努めながら、A級戦犯として処刑された只一人の文官、元総理広田弘毅の生涯を、激動の昭和史と重ねつつ克明にたどる。

城山三郎著

指揮官たちの特攻

—幸福は花びらのごとく—

神風特攻隊の第一号に選ばれた関行男大尉、玉音放送後に沖縄へ出撃した中津留達雄大尉。二人の同期生を軸に描いた戦争の哀切。

吉村昭著

戦艦武蔵

菊池寛賞受賞

帝国海軍の夢と野望を賭けた不沈の巨艦「武蔵」——その極秘の建造から壮絶な終焉まで、壮大なドラマの全貌を描いた記録文学の力作。

吉村昭著

零式戦闘機

空の作戦に革命をもたらした〝ゼロ戦〟——その秘密裡の完成、輝かしい武勲、敗亡の運命を、空の男たちの奮闘と哀歓のうちに描く。

吉村昭著

大本営が震えた日

開戦を指令した極秘命令書の敵中紛失、南下輸送船団の隠密作戦。太平洋戦争開戦前夜に大本営を震撼させた恐るべき事件の全容——。

レパントの海戦《かいせん》

新潮文庫　し-12-5

平成　三　年　六　月二十五日　発　行
平成二十一年　二　月　十　日　三十二刷改版

著　者　塩《しお》　野《の》　七《なな》　生《み》

発行者　佐　藤　隆　信

発行所　株式会社　新　潮　社

郵便番号　一六二―八七一一
東京都新宿区矢来町七一
電話　編集部(〇三)三二六六―五四四〇
　　　読者係(〇三)三二六六―五一一一
http://www.shinchosha.co.jp

価格はカバーに表示してあります。

乱丁・落丁本は、ご面倒ですが小社読者係宛ご送付ください。送料小社負担にてお取替えいたします。

印刷・二光印刷株式会社　製本・憲専堂製本株式会社

ISBN978-4-10-118105-9 C0193

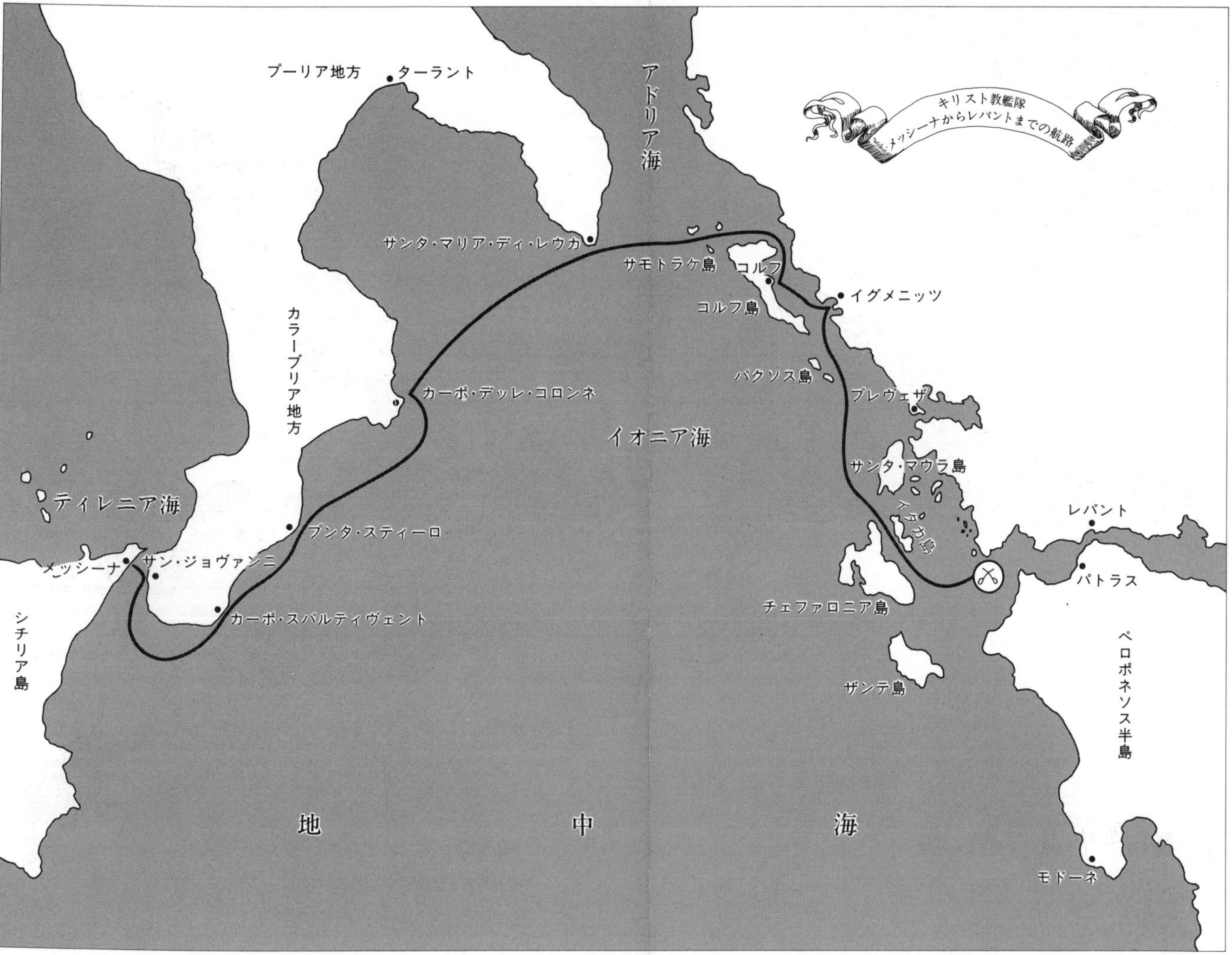
キリスト教艦隊
メッシーナからレパントまでの航路
プーリア地方
ターラント
アドリア海
サンタ・マリア・ディ・レウカ
サモトラケ島
コルフ
コルフ島
イグメニッツ
カラーブリア地方
カーボ・デッレ・コロンネ
パクソス島
プレヴェザ
イオニア海
サンタ・マウラ島
イタカ島
ティレニア海
プンタ・スティーロ
レパント
メッシーナ
サン・ジョヴァンニ
パトラス
カーボ・スパルティヴェント
チェファロニア島
シチリア島
ペロポネソス半島
ザンテ島
地
中
海
モドーネ

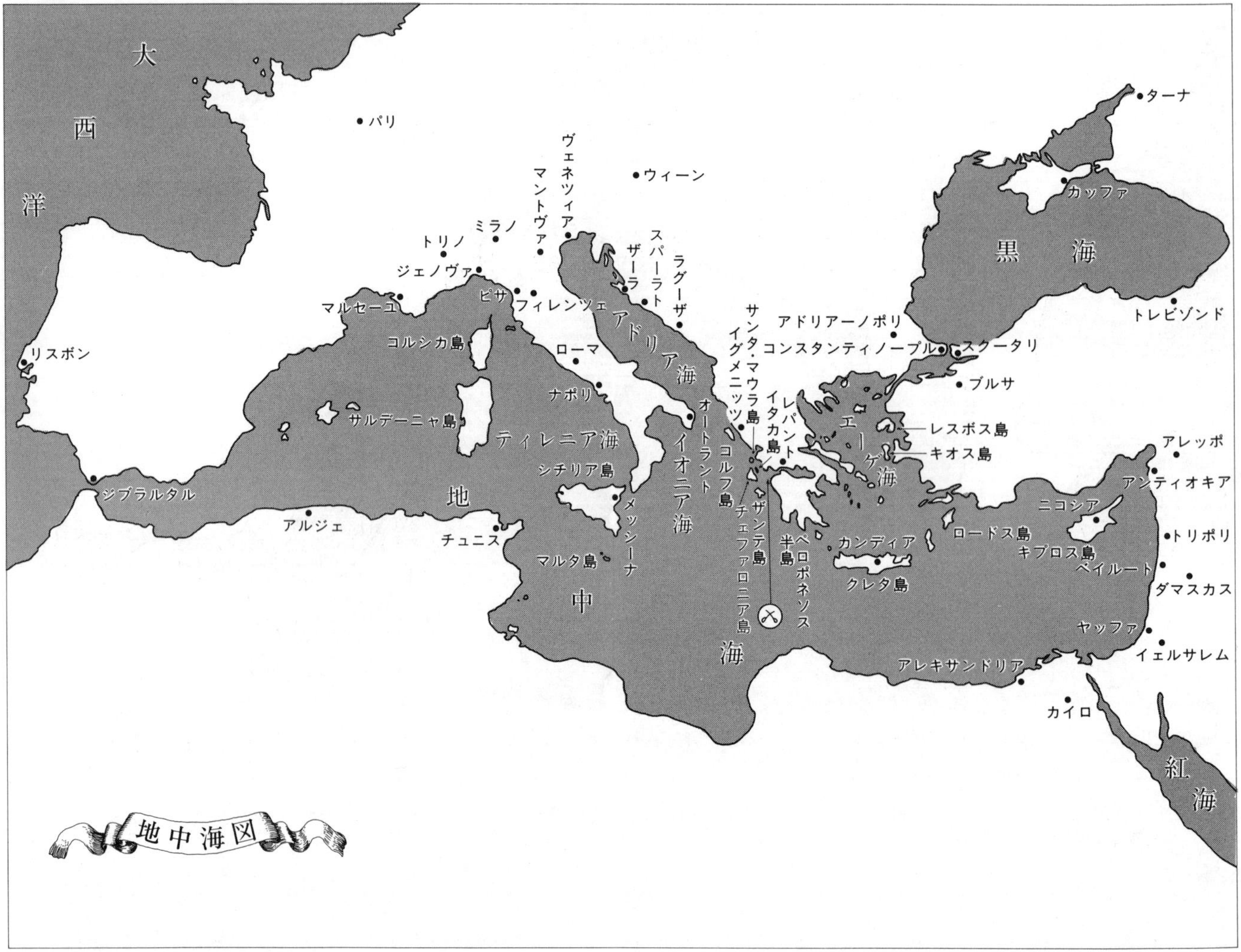

地中海図
大西洋
パリ
ウィーン
ターナ
カッファ
黒海
トレビゾンド
ヴェネツィア
マントヴァ
ミラノ
トリノ
ジェノヴァ
ピサ
フィレンツェ
マルセーユ
スパーラト
ザーラ
ラグーザ
アドリア海
コルシカ島
リスボン
ローマ
ナポリ
サルデーニャ島
ティレニア海
オートラント
イオニア海
サンタ・マウラ島
イグメニッツ
イタカ島
レパント
コルフ島
アドリアーノポリ
コンスタンティノープル
スクータリ
ブルサ
エーゲ海
レスボス島
キオス島
アレッポ
アンティオキア
ニコシア
ロードス島
トリポリ
キプロス島
ベイルート
ダマスカス
シチリア島
ジブラルタル
地中海
アルジェ
チュニス
メッシーナ
マルタ島
ザンテ島
チェファロニア島
ペロポネソス半島
カンディア
クレタ島
ヤッファ
イェルサレム
アレキサンドリア
カイロ
紅海